Chico Buarque

BUDAPESZT

przełożyła
Joanna Karasek

Warszawskie Wydawnictwo Literackie MUZA SA

Powinno się zakazać

Powinno się zakazać kpienia z ludzi, którzy porywają się na mówienie w obcym języku. Pewnego poranka, kiedy przez pomyłkę wysiadłem z metra na niebieskiej stacji, takiej samej jak ta koło jej domu, nawet podobnie się nazywała, zadzwoniłem z budki na ulicy i powiedziałem: już przychodzę częściowo. W tej samej chwili zacząłem podejrzewać, że coś mi nie wyszło, bo nauczycielka po-prosiła, żebym to zdanie powtórzył. Już przychodzę częś-ciowo... Prawdopodobnie chodziło o szyk zdania i słowo częściowo. Ona jednak zamiast poprawić mój błąd, kazała mi powtarzać to zdanie, powtarzać i powtarzać bez końca, potem wybuchnęła śmiechem, a ja odłożyłem słuchawkę. Kiedy zobaczyła mnie w drzwiach, dostała kolejnego ataku i cała aż się zanosiła od śmiechu. W końcu powiedziała, że moje zdanie zabrzmiało tak, jakbym miał przychodzić po kawałku, najpierw nos, potem jedno ucho, potem kolano, co jednak nie było aż tak zabawne. To prawda, bo Kriska zaraz jakby się zasmuciła i nie wiedząc, jak mnie przeprosić, dotknęła czubkami palców moich drżących ust. Dziś mogę powiedzieć, że mówię po węgiersku doskonale albo prawie doskonale. Kiedy w nocy mruczę do siebie pod nosem, nawet cień obcego akcentu bardzo mnie smuci. W środowisku, w którym się obracam, często zabieram głos na temat spraw kraju, używając rzadkich czasowników i poprawiając błędy osób wykształconych, więc obcy akcent byłby prawdziwą katastrofą. Żeby rozwiać swoje wątpliwości, mogę jedynie zapytać Kriskę, która też nie jest do końca wiarygodna, bo chce, żebym jadł jej z ręki, i bardzo oszczędnie mnie chwali. Mimo wszystko bez przerwy ją pytam, czy straciłem już obcy akcent. A ona uparcie odpowiada: częściowo, najpierw nos, potem jedno ucho… I umiera ze śmiechu, potem okazuje skruchę, zarzuca mi ręce na szyję i tak dalej.

Wylądowałem w Budapeszcie z powodu niespodziewanej przerwy w locie z Istambułu do Frankfurtu, skąd miałem połączenie do Rio. Linie lotnicze zaoferowały mi nocleg w hotelu przy lotnisku i dopiero rano poinformowano nas, że problem techniczny, z którego przyczyny musieliśmy lądować, w rzeczywistości był anonimowym zawiadomieniem, że na pokładzie jest bomba. Zaintrygował mnie już dziennik telewizyjny o północy, bo zobaczyłem w nim samolot niemieckich linii lotniczych, stojący na miejscowym lotnisku. Puściłem głośniej, lektor jednak czytał po węgiersku, w tym jedynym języku na świecie, którym, zdaniem złośliwych, potrafi mówić sam diabeł. Wyłączyłem telewizor, w Rio była siódma wieczorem – świetna pora, żeby zadzwonić do domu; odezwała się automatyczna sekretarka, nie zostawiłem żadnej wiadomości, bez sensu wydawało mi się mówienie: cześć, kochanie, to ja, jestem w Budapeszcie, samolot nawalił, buziaczki. Powinienem spać, ale wcale mi się nie chciało, nalałem letniej wody do wanny, wsypałem sól kąpielową i przez jakiś czas bawiłem się robieniem obłoków piany. Wtedy właśnie zadźwięczał, zil, dzwonek, a ja jeszcze pamiętałem, że dzwonek po turecku nazywa się właśnie zil. Owinąłem się ręcznikiem, otworzyłem drzwi i zobaczyłem staruszka w hotelowym mundurze, z jednorazową maszynką do golenia w dłoni. Pomylił drzwi i na mój widok wydał z siebie gardłowe o! jak głuchoniemy. Wróciłem do łazienki i pomyślałem, to dziwne, żeby luksusowy hotel zatrudniał głuchoniemego. W głowie cały czas miałem jednak słowo zil, ładne, dużo ładniejsze niż dzwonek. Wkrótce zapewne zapomnę to słowo, tak jak zapomniałem haiku, których w Japonii nauczyłem się na pamięć, arabskie przysłowia, *Oczi czornyje*, które śpiewałem po rosyjsku, bo ja z każdego kraju biorę ze sobą taki drobiazg, ulotną pamiątkę. Mam słuch jak dziecko, chwytam i wypuszczam języki z wielką łatwością, przy odrobinie wytrwałości mógłbym nauczyć się greki, koreańskiego, a nawet baskijskiego. Nigdy jednak nie marzyłem, że poznam węgierski.

Było już po pierwszej, kiedy nagi poszedłem do łóżka i znów włączyłem telewizor; ta sama kobieta co o północy, blondynka z mocnym makijażem, prezentowała powtórkę poprzedniego dziennika. Zorientowałem się, że to powtórka, bo wcześniej zwróciłem uwagę na podłużną twarz pewnej wieśniaczki, która patrzyła w kamerę wytrzeszczonymi oczami, a w ręku trzymała kapustę wielkości swojej głowy. W tym samym rytmie poruszała pionowo głową i kapustą i mówiła bez przerwy, nie dając dojść do słowa reporterowi. Wbijała palce w kapustę i płakała, i podnosiła głos, jej twarz stawała się coraz czerwieńsza i coraz bardziej obrzmiała, jej palce zagłębiały się w kapuście, a mój kark sztywniał coraz bardziej, nie przez to, co widziałem, ale z wysiłku, żeby zrozumieć choć jedno słowo. Słowo? Nie miałem najbledszego pojęcia o wyglądzie, strukturze, samej substancji tych słów, nie mogłem wiedzieć nawet, gdzie się każde słowo zaczyna i jak długo trwa. Nie mogłem oddzielić jednego słowa od drugiego, czułem się tak, jakbym nożem próbował przeciąć rzekę. W moich uszach węgierski był językiem pozbawionym jakichkolwiek reguł, nie składał się ze słów, ale wydawał się tworem, który można poznać tylko w całości. Samolot znów pojawił się na pasie startowym lotniska, na odległym planie, w ciemnym, statycznym ujęciu, jeszcze podkreślonym głosem lektora z offu. Informacja o samolocie przestawała mnie interesować, zagadkę samolotu przyćmiła zagadka języka, w którym tę informację podawano. Słuchałem w skupieniu tego amalgamatu dźwięków i nagle spośród tajemnych słów wytropiłem jedno, Lufthansa. Tak, Lufthansa z pewnością, lektorowi wymknęło się jedno niemieckie słowo zza muru słów węgierskich, pojawiła się rysa, która mogła mi pozwolić na rozwikłanie całego słownictwa. Po dzienniku zaczął się program publicystyczny, którego uczestnicy robili wrażenie, jakby się nie rozumieli wzajemnie, potem był dokument o morskim dnie, z przezroczystymi rybami, i punktualnie o drugiej wróciła moja wymalowana znajoma, starzejąca się z każdą godziną coraz bardziej. Prognoza pogody, parlament, giełda, studenci na ulicach, centrum handlowe, wieśniaczka z kapustą, mój samolot i już, już próbowałem odtworzyć kilka fonemów, wychodząc od słowa Lufthansa, kiedy na ekranie pojawiła się dziewoja w czerwonym szalu i z czarnym kokiem, grożąc swym wyglądem, że będzie mówiła po hiszpańsku; ze strachu szybko zmieniłem kanał. Trafiłem na stację angielskojęzyczną, i jeszcze jedną, i kolejną, potem niemiecką, włoską i z powrotem na ekranie zobaczyłem andaluzyjską tancerkę. Wyłączyłem dźwięk, zacząłem przyglądać się napisom tłumaczenia i obserwując po raz pierwszy węgierskie słowa w postaci liter, odniosłem wrażenie, że widzę ich szkielet: ő az álom előtti talajon táncol.

O szóstej rano, kiedy zadzwonił telefon z budzeniem, siedziałem na brzegu łóżka. Potem wyrecytowałem unisono z lektorem informację o samolocie, jakieś dwadzieścia sekund po węgiersku. Po czym z przykrością włożyłem na siebie ubranie, to samo, co poprzedniego dnia, bo z samolotu mogłem wziąć tylko bagaż podręczny, i zszedłem do hallu, przypominającego atmosferą wieżę Babel. Im trudniejsze było porozumienie w rozmaitych językach, tym głośniej wyrażane były protesty przeciw terroryzmowi, liniom lotniczym, przeciw wysokości opłat za dodatkowe usługi w hotelu. Głosy uspokoiły się dopiero, kiedy otwarto restaurację i podano darmowe śniadanie; wtedy stwierdziłem, że cały mój językowy wysiłek poszedł na marne – kiedy zacząłem szukać w pamięci węgierskich słów, znalazłem tylko jedno: Lufthansa. Próbowałem się skupić, wbiłem wzrok w podłogę, zrobiłem kilka kroków w jedną stronę, potem w drugą – wszystko na nic. W głębi sali dostrzegłem wianuszek rozmawiających kelnerów i pomyślałem, że mógłbym im zwędzić przynajmniej parę słów. Ale kiedy mnie zauważyli, nagle zamilkli, zachęcając gestem, żebym dosiadł się do trzech wielkoludów o słowiańskich twarzach, którzy jedli przy stole pełnym okruchów, łupin z owoców, skórek z sera, pustych słoiczków po jogurcie. W koszyku na pieczywo pozostały nietknięte bułeczki podobne do czerwonawych podpłomyków, zapewne lokalna specjalność, której spróbowałem ostrożnie, głównie z grzeczności. Ciasto było lekkie, słodkawe, pozostawiało gorzkawy posmak. Zjadłem jedną bułkę, potem drugą, wreszcie wszystkie cztery, dlatego że byłem głodny, nie były takie złe, kiedy popijało się je herbatą. Było to ciasto z dyni, jak po angielsku poinformował nas kelner, ale ja wcale nie chciałem przepisu na te bułki, pragnąłem za to smakować węgierskie brzmienie ich nazwy. In Hungarian, upierałem się i zacząłem podejrzewać, że oni muszą być zazdrośni o swój język, bo kelner w ogóle nie zwracał uwagi na moje słowa; wydał z siebie gardłowe o! I wysypał na mój talerz górę bułek, pozostawionych na sąsiednich stołach, po czym zaklaskał w dłonie, dając znak, żebym się spieszył, i pokazując, że restauracja jest już pusta. W hallu stewardesa z listą i walkie-talkie w ręce wykrzykiwała: Mister Costa! Mister Costa! Jako ostatni dołączyłem do legionu tłoczącego się na ruchomym chodniku, w odległości dziesięciu metrów od przejścia z hotelu na lotnisko. Prześlizgnęliśmy się do rękawa przez długie i połyskliwe terytorium niczyje, kraj bez języka, ojczyznę znaków graficznych, cyfr, strzałek. Wąsaty funkcjonariusz policji leniwie kartkował po kolei każdy paszport i oddawał go właścicielowi, nie stemplując. Razem z nim rozwiała się moja nadzieja, że usłyszę ostatni głos Węgra, bo z ust jego nie wydostało się ani jedno dzień dobry, ani jedno dziękuję, ani życzę przyjemnej podróży czy też proszę do nas wracać. Jako rodzaj zadośćuczynienia, kiedy rozsiadłem się w fotelu klasy biznesowej, poczułem znów w ustach smak bułeczki z dyni, ale teraz z kolei był słodki. Zapiąłem pas, zmrużyłem oczy, pomyślałem, że pewnie nie usnę już nigdy w życiu, więc wziąłem proszek nasenny; samolot wystartował. Przystawiłem twarz do okienka, wszystko wydawało się zamglone, proszek zaczynał działać. Kiedy lecieliśmy nad dziurą między chmurami, miałem wrażenie, że z góry widzę Budapeszt przecięty rzeką. To Dunaj, pomyślałem, Dunaj, tyle że wcale nie jest modry, ale żółty, całe miasto było żółte, dachy, asfalt, parki, to zabawne, całe miasto było żółte, zawsze myślałem, że Budapeszt jest szary, a tymczasem Budapeszt jest żółty.

W sprawie dzieci

Nowy zwrot w sprawie dzieci z wyłupionymi oczami. Wczorajszego wieczoru opiekunka z domu dziecka, która, jak sądzono, zbiegła do Paragwaju, stawiła się w komisariacie Volta Redonda. Głos był matowy, sposób mówienia rozwlekły, zapewne Vanda nagrywała ten tekst wcześnie rano. Komisarz nie ujawnił, czy zeznania opiekunki świadczą o niewinności, czy też obciążają jeszcze bardziej kochanka krawcowej. Nie, nie pojawił się żaden rozstrzygający fakt, kobieta była albo pod wpływem środków uspokajających, albo w szoku, wypowiadała oderwane zdania, a potem pojawiła się Vanda na żywo, zapowiedziała mecz piłki nożnej kobiet zaraz po reklamach, głosem czystym, z właściwym półuśmiechem, z takim samym dystansem do obu wiadomości; na powiekach miała położony cień, włosy spięte, naszyjnik ze szklanych paciorków. Usiadłem na łóżku, automatyczna sekretarka mrugała na nocnej szafce: Zé, mówi Álvaro, powinieneś już być... Vandeczko, to ja, Vanessa, te fosforyzujące kuleczki... Zé, mówi Álvaro, stary, ten Niemiec jest... Vanda, mówi Jerônimo, zadzwoń do mnie na półpiętro. Vandeczko, mówi Vanessa, ja myślałam, że te kulki... Zé, tu, Álvaro, już południe, stary... Napiłem się wina, połknąłem barbiturany, samolot spóźnił się do Frankfurtu, miałem przesiadkę w São Paulo, zginęły mi bagaże, byłem nieprzytomny, miałem *jet lag*, wziąłem prysznic, zjadłem banany, powoli ruszyłem wzdłuż plaży, obok ścieżki rowerowej, dziewczyny pedałują, dziewczyny na wrotkach, jesienne słońce, zatrzymałem samochód na Ipanemie. Kiosk był pusty, zamówiłem kokos, położyłem łokcie na ladzie, oparłem głowę na dłoniach, ludzie przechodzą za moimi plecami: sama widziałaś jego minę, sukinsyn aż zbladł... odsunęła majtki, i widzę naprawdę okropny wrzód... najnowocześniejszy sprzęt, jeszcze zabezpieczony do transportu... potem by gadali, że to dla Murzyna... wtedy mu powiedziałam, że mam okres... miał zapłacić mnóstwo pieniędzy... wiceprezes zadzwonił do mnie... a ja myślę, że tak właśnie jest... Pomyślałem, że dobrze byłoby zdjąć buty i zamoczyć stopy, ale do morza był spory kawałek i nie chciało mi się chodzić po piasku. Wsiadłem do samochodu, musiałem jechać do biura, choć wcale nie miałem ochoty.

Zawsze miałem ochotę chodzić do biura w czasach, kiedy jeszcze urzędowaliśmy w pokoiku trzy na cztery metry, w centrum. Prawdę mówiąc, to urzędowałem ja, bo Álvaro spędzał całe dnie na mieście, nawiązywał kontakty, załatwiał sprawy. Kiedy jeszcze umieszczał naszą reklamę pośród drobnych ogłoszeń, dodawał tłustym drukiem: zapewniamy dyskrecję. I pojawiali się skrępowani faceci, którzy nie podnosili wzroku i mówili półgębkiem, w tamtych czasach brałem każde zlecenie. I nie dla pieniędzy, bo ledwo starczało na czynsz; płacono mi honoraria według cen rynkowych, tak jak się płaci za stronę staremu skrybie, maszynistce, kopiście stron encyklopedii. Płacili gotówką przy odbiorze zamówienia i pospiesznie odchodzili, najwyżej rozchylali kopertę, żeby sprawdzić liczbę stron. Traktowałem jak ćwiczenie stylu owe monografie i rozprawy, orzeczenia lekarskie, adwokackie petycje, listy miłosne, pożegnalne, rozpaczliwe, szantaże, groźby samobójstwa. Teksty oddawałem Álvaro, a potem usuwałem z pamięci komputera. Patrzył na ekran i mówił: genialnie, genialnie, myśląc o innych sprawach, bo Álvaro nigdy nie myślał o tym, na co właśnie patrzył. Vanda ścięła się z nim zaraz na początku naszej znajomości, mówiła, że Álvaro to wampir, który wysysa mój talent, zamyka mnie w biurze, a sam szwenda się po przyjęciach. Mówiła tak, bo chciała dla mnie jak najlepiej, i wcale nie z powodu moich tekstów, których nie czytała, Vanda nie wiedziała nawet, jakim jestem pisarzem. Kiedy mnie poznała, byłem już nieźle ustawiony, nie widziała więc, jak na początku Álvaro we mnie wierzył i jak wiele zainwestował od czasów na uczelni aż do stworzenia biura, założonego z jego inicjatywy. Miał jakieś rodzinne pieniądze i w każdym miejscu znajomych, a kiedy poznał ludzi związanych z polityką, ja już byłem zdolny napisać przemówienie na każdą okazję na podstawie brulionu czy krótkiej rozmowy. Przemówienia wyborcze były dobrze płatne, nie dawały mi jednak satysfakcji, czułem się wręcz nieszczęśliwy. Często mówcy omijali te fragmenty, które ja ceniłem najwyżej, nie wahali się przeskoczyć całego akapitu, jeśli brakowało im czasu czy też słońce świeciło zbyt mocno. Albo nagle dodawali z głowy popisy własnej erudycji, którym publiczność przyklaskiwała, a oni zostawiali przemówienie na trybunie i wiatr rozwiewał kartki. Tak naprawdę poczucie zawodowej satysfakcji nadeszło, kiedy wielkonakładowe dzienniki zaczęły publikować w całości moje artykuły. Nie pojawiało się tam moje nazwisko, to jasne, moim przeznaczeniem było zawsze pozostawać w cieniu, jednak to, że moje słowa są podpisywane coraz świetniejszymi nazwiskami stanowiło zachętę, czułem się tak, jakbym, choć w cieniu, awansował. Cunha & Costa, Agencja Kulturalna, mieściła się już wtedy w trzech dużych biurach z widokiem na plażę na Copacabanie, a Álvaro kazał oprawić i powiesić na ścianach te z moich utworów, które lubił najbardziej. Były to artykuły napisane w imieniu prezesa Federacji Przemysłowej, ministra z Sądu Najwyższego Republiki, kardynała archidiecezji Rio de Janeiro, czyli prawdziwa galeria, którą Álvaro pokazywał każdemu wchodzącemu do agencji i mówił przy tym: José Costa to geniusz. Namawiał do współpracy przedsiębiorstwa, urzędy państwowe, fundacje, związki zawodowe, kluby, restauracje, otwierał księgę z moimi artykułami i oświadczał: José Costa to geniusz. I co, Álvaro, z obiecywaną dyskrecją? Śmiał się tym swoim wysokim śmiechem, komicznym u człowieka tak wielkiego i owłosionego, i zapewniał, że reklamą naszego biura są przede wszystkim nasi klienci. Nawet ci, którzy nigdy nimi nie byli, chwalą się na mieście, że rezygnują ze swoich sekretarzy i wolą zapłacić nieco drożej za szeroki asortyment naszych usług, mówił Álvaro. A tymczasem artykuły na ścianach denerwowały mnie, księga mnie denerwowała, ujawnianie mojego autorstwa było jakby złamaniem ślubów. To właśnie mu oświadczyłem w szczerej rozmowie, lecz choć Álvaro wysłuchał mnie ze skupionym wzrokiem, myślał o czymś innym. I nadal powiększał galerię na ścianie i zatrudnił specjalnego człowieka do prowadzenia mojej księgi, która wtedy była już ogromnym tomiszczem. W każdym razie, reklamując wszem i wobec naszą fabrykę tekstów, bardzo dbał, by zawsze pomijać moje nazwisko; kiedy pytano go, czy to nie on sam, Álvaro da Cunha, jest tym zręcznym literatem, spuszczał wzrok i mruczał pod nosem: dajmy temu spokój.

Często wracałem do domu późną nocą, zmęczony, a gdy się ożeniłem, Vanda nie chciała się z tym pogodzić – kiedy odgrzewała dla mnie zupę, przeklinała Álvaro. Nic nie mówiłem, bo nie wiedziałem, jak jej wytłumaczyć, że po załatwieniu wszystkich spraw zostawałem sam w biurze i oddawałem się obsesyjnej lekturze. Kiedy widziałem moje dzieła podpisane obcymi nazwiskami, czułem neurotyczną przyjemność, rodzaj zazdrości na opak. Bo dla mnie to nie ten czy inny gość przywłaszczał sobie moje pisanie, ale było trochę tak, jakbym to ja pisał w jego notesie. Zapadała noc, a ja raz po raz czytałem zdania, które znałem na pamięć, potem powtarzałem na głos nazwisko faceta, machałem nogami i zaśmiewałem się do rozpuku na kanapie w biurze, bo czułem się tak, jakbym miał romans z obcą kobietą. I jeśli popadałem w próżność przy lekturze poszczególnych zdań, to dużo większą próżnością napełniała mnie świadomość, że jestem twórcą utajonym. Nie była to duma czy poczucie wyższości, uczucia ciche w sposób naturalny, ale prawdziwa próżność, z pragnieniem ekshibicjonizmu i chełpliwości, co dodawało wartości mojej dyskrecji. Zamawiano u mnie kolejne artykuły prasowe, zapowiadane na okładkach i chwalone następnego dnia przez czytelników, a ja to dzielnie wytrzymywałem. W ten sposób gromadziła się we mnie próżność, czyniła mnie pięknym i silnym, sprawiała, że kłóciłem się z telefonistką i wyzywałem gońca od osłów; niszczyła ona też moje małżeństwo, bo kiedy wracałem do domu, wrzeszczałem na Vandę, która patrzyła na mnie ze zdziwieniem, nie widząc powodów tej mojej strasznej próżności. Właściwie byłem zły, kiedy do biura przyszło zaproszenie na doroczny zjazd anonimowych autorów, który miał się odbyć w Melbourne. List w czarnej kopercie, którą Álvaro otworzył i przekazał mnie, sądząc, że to żart, został wysłany z Cleveland, bez adresu nadawcy, a adresatem była Cohna & Casta Agency. Wrzuciłem list do szuflady ze sprawami nieważnymi, choćby dlatego, że nie zawierał żadnych dodatkowych informacji poza nazwą hotelu i datą, którą mimowolnie zapamiętałem, bo był to dzień urodzin Vandy. Kilka miesięcy później, pewnej nocy wróciłem do domu o drugiej nad ranem, a moja żona usiadła na łóżku zaspana, bo musiała wcześnie wstawać, od kiedy została prezenterką wiadomości telewizyjnych. Spytała mnie, czy chcę jeszcze zupę, a ja nagle, nie wiadomo dlaczego, powiedziałem jej, że kiedy widzę ją w telewizji, przypomina mi papugę, bo czyta wiadomości, nie wiedząc, o czym mówi. Wsunęła kapcie, nałożyła na piżamę szydełkowy sweter, powoli poszła do kuchni, włączyła mikrofalówkę i nie podnosząc głosu, stwierdziła, że moja sytuacja jest jeszcze gorsza, bo wypisuję bzdury, których nikt nie czyta. Zrezygnowałem z zupy, tak jak stałem, opuściłem domowe ognisko i wróciłem do agencji, gdzie długo miłośnie wczytywałem się w moje teksty, aż zasnąłem na kanapie. Po kilku spędzonych tam nocach, jeszcze trochę zły i z bólem krzyża, postanowiłem wrócić do Vandy ze względu na jej urodziny, ale wtedy przypomniałem sobie o leżącym w szufladzie zaproszeniu. Álvaro nie sprzeciwiał się mojej podróży do Australii, rzucił wręcz parę uwag o globalizacji i temu podobnych. Miałem dość pieniędzy, ale mimo że przekroczyłem już trzydziestkę, nigdy nie wyjeżdżałem z kraju, i pomyślałem sobie, że w najgorszym wypadku taka podróż samolotem dookoła świata ostudzi moje emocje. Wpadłem do domu spakować walizkę, Vandy nie było, zostawiłem jej kartkę, że wyjeżdżam na światowy kongres pisarzy.

Etyka, prawo prasowe, odpowiedzialność karna, prawa autorskie, epoka internetu, obszerny był spis tematów spotkania, które przy drzwiach zamkniętych odbywało się w ponurym hotelu w Melbourne. W trakcie obrad zabierali głos mówcy różnych narodowości, ich wystąpienia śledziłem w języku hiszpańskim dzięki systemowi tłumaczeń symultanicznych. Jednak już drugiego dnia, w miarę jak wieczór stawał się coraz późniejszy, tematy interesujące wszystkich zaczęły ustępować miejsca osobistym zwierzeniom, coraz bardziej krępującym. Zaczynało to przypominać konwencję anonimowych alkoholików, cierpiących jednak nie z powodu alkoholu, lecz anonimowości. Doświadczeni autorzy obnosili swoje pełne nazwiska na identyfikatorach i kłócili się o dostęp do mikrofonu, urządzając festiwal samochwalstwa. Cytowali wykazy swoich dzieł, bez potrzeby odkrywając tożsamość rzekomych autorów – to wielki mąż stanu, to stały ghostwriter wielkiego męża stanu, to znów uznany powieściopisarz, filozof, wybitny intelektualista – budząc śmiechy i zamieszanie wśród publiczności. Trzeciego wieczoru, kiedy właśnie miałem zamiar opuścić salę, mikrofon trafił do mnie i wszyscy wokół zaczęli mi się przyglądać. Byłem nowicjuszem, być może kimś obcym, wysłuchałem kompromitujących zwierzeń i nie miałem wyjścia, musiałem coś powiedzieć, moje milczenie byłoby dowodem złej woli. Przeprosiłem, że mówię po portugalsku, streściłem swój życiorys, podałem temat mojego doktoratu, dostałem brawa, zgodziłem się wyrecytować kilka swoich kwestii, powoli, żeby tłumacze mogli dobrze oddać ich treść. Potem wyjaśniłem kontekst niektórych moich prac, odwołując się do ważnych postaci, które winne mi były wdzięczność, i chwilę później cytowałem po kolei fragmenty najróżniejszych artykułów, jakie mi przychodziły do głowy. Wpadłem w trans, gorączkę, mówiłem, mówiłem, mógłbym mówić do samego rana, gdyby ktoś nie wyłączył aparatury nagłaśniającej. Widząc pustą salę i windę pełną ludzi, na jednym oddechu przemknąłem siedem biegów schodów w górę, byłem lekki, chudy, na górze odniosłem wrażenie, że jestem pusty. Mdłości, jakie poczułem, wchodząc do pokoju, towarzyszyły mi jeszcze długo, zapach pleśni w korytarzu przykleił mi się do śluzówki w nosie; przez całe miesiące, rozpierając się na kanapie w biurze, z myślą, by delektować się starymi artykułami, będę czuć zapach pomarańczowawej wykładziny z hotelu w Melbourne. W pokoju było duszno, okno nie dawało się otworzyć, pejzaż stanowiły dwa rzędy słupów oświetleniowych wzdłuż niekończącej się prostej alei. Poczułem chęć, żeby zadzwonić do kogoś w Brazylii, ale telefon był zablokowany. Spędziłem noc, gapiąc się w sufit, i kiedy rano usłyszałem pukanie do drzwi, poczułem ogromną wdzięczność; widząc kelnera wnoszącego śniadanie, przekonałem go, żeby usiadł ze mną; był Filipińczykiem, słabo mówił po angielsku, nauczył mnie kilku słów po malajsku, miał bardzo małe dłonie, które napełniłem drobnymi monetami. Byłem rozemocjonowany, schodząc do sali cieszyłem się na spotkanie z kolegami, od tego ranka obrady przebiegały niemal w ciszy, osłabieni uczestnicy spokojnie siedzieli na swoich miejscach. Ci nieliczni, którzy zabierali głos, mówili cicho, z dala od mikrofonu, przypominając niedole zawodu, z którego tak wiele osób odchodzi, szukając szczęścia i popularności. Składano wyrazy hołdu dla nieobecnych towarzyszy, zmarłych w zapomnieniu lub zamkniętych w szpitalach psychiatrycznych, albo też zdradzonych, publicznie rozpoznanych, niektórych wręcz prześladowanych i skazanych za poglądy – zawodowców z definicji pozbawionych własnych poglądów. Na sesji końcowej wygłoszono kilka wystąpień w obronie prawa do prywatności i wolności wypowiedzi, jednak propozycja sformułowania listu otwartego szybko została odrzucona, bo jaki dziennik miałby opublikować podpisy pisarzy, którzy nigdy się nie podpisują. I wszyscy, którzy tydzień wcześniej przyjechaliśmy do hotelu, trzaskając drzwiczkami taksówek i klapami bagażników, przeszliśmy powoli razem, w milczeniu ciągnąc do wynajętego autobusu, stojącego po drugiej stronie ulicy, walizki pełne opasłych tomów. Na lotnisku wymieniliśmy adresy i uściski, ktoś nawet się rozpłakał, wszyscy obiecywali przyjazd na następne spotkanie w Casablance, a potem każdy wszedł do swojego rękawa. Byłem w podróży przez trzydzieści godzin, z mózgiem bez jednej myśli, i kiedy wróciłem do domu, żeby się wyspać, Vanda o nic nie zapytała, podała mi zupę i pogładziła po włosach. Wtedy właśnie, całkowicie odarty z miłości własnej, zrobiłem jej dziecko.

Już z pokaźnym brzuszkiem, rozkapryszona Vanda postanowiła zaplanować nasz ciągle odkładany miodowy miesiąc. Mieliśmy pojechać do Nowego Jorku w czasie jej miesięcznego urlopu w telewizji, ja jednak nie miałem ochoty znów prosić Álvaro o zwolnienie. Vanda zaczęła tupać, wsiadła na mnie, podsycała moją ambicję, mówiąc, że nie jestem jego pracownikiem, ale wspólnikiem, niemal pół na pół. Usiadłem z Álvaro, pokazałem mu swój nowy laptop, mówiłem o uporze kobiet w ogóle, koniec końców pozwolił mi jechać, jeśli tylko zechcę, a nawet obiecał przewodnik po dobrych adresach na Manhattanie. I przy okazji powiedział, że jeśli nie mam nic przeciwko temu, chciałby wkrótce nieco mnie odciążyć w pracy. Właściwie zrozumiałem jego słowa dopiero po powrocie z podróży poślubnej, kiedy zastałem młodego redaktora siedzącego za biurkiem na wprost mnie i pół tuzina jego tekstów oprawionych w ramki na ścianie. Już od jakiegoś czasu, jak się dowiedziałem, Álvaro przysposabiał chłopca do pisania nie w stylu innych, ale w moim stylu pisania dla innych, co uznałem za duży błąd. Bo mój styl na zawsze pozostanie moim stylem, a moje pisanie było czymś w rodzaju moich rękawiczek, podobnie jak aktor przebiera się za tysiąc postaci po to, by tysiąc razy pozostać sobą samym. Czeladnikowi nie odmówiłbym użyczenia moich przyborów, to znaczy książek, doświadczenia i podstaw techniki, jednak Álvaro chciał, żebym mu przekazał coś, co było moją wyłączną własnością. Żeby się nie wkurzać, postanowiłem ignorować teksty chłopaka i siadałem plecami do niego, bo nie da się tworzyć, kiedy ktoś obcy gapi się człowiekowi w twarz. Jednak pewnej nocy, kiedy byłem sam w biurze, mój wzrok zaczął się błąkać po ścianach i padł na artykuł w barokowej ramie, a tytuł *Dama i autochton* wydał mi się znajomy. Podszedłem, żeby mu się przyjrzeć – był to świeży artykuł podpisany przez przewodniczącego Brazylijskiej Akademii Literatury, dla którego ja akurat nigdy nie pisałem, czyli musiał to być tekst chłopaka. Przeczytałem pierwszą linijkę, przeczytałem powtórnie i przestałem czytać, musiałem się uszczypnąć: sam nie rozpocząłbym tego artykułu innymi słowami. Zamknąłem oczy, zastanowiłem się, jakie powinno być następne zdanie, i przeczytałem je, było dokładnie takie, jak przewidziałem. Zakryłem tekst dłońmi i odsuwałem palce milimetr po milimetrze, odkrywałem słowa litera po literze, jak pokerzysta rozkładający karty, i były to właśnie te słowa, których się spodziewałem. Porywałem się na słowa najmniej oczekiwane, neologizmy, archaizmy, gdzieś nawet wstawiłem kurwę nędzę, jakieś genialne metafory, które nagle wpadały mi do głowy, ale cokolwiek bym wymyślił, wszystko znajdowałem pod moimi palcami już wydrukowane. Było to przygnębiające, tak jakbym miał rozmówcę, który bezustannie wyjmuje mi słowa z ust, prawdziwa rozpacz. To był plagiator, który mnie wyprzedzał, poczułem, jakbym miał pod czaszką szpiega, przeciek wyobraźni. Zacząłem przyglądać się chłopakowi spod oka, myślałem, żeby zmierzyć się z nim twarzą w twarz, przycisnąć go do ściany, wkrótce jednak zatrudniony został następny chłopak, i jeszcze kolejny, i wszystkim Álvaro potrafił narzucić mój sposób pisania, zmuszając mnie do refleksji, że mój własny styl od samego początku był wynikiem jego manipulacji. Kiedy zobaczyłem, że otacza mnie siedmiu redaktorów, wszyscy w koszulach w prążki takich jak moje, w okularach do czytania identycznych z moimi, z moją fryzurą, moimi papierosami i moim kaszlem, przeniosłem się do pokoiku służącego za magazyn, tuż obok sali konferencyjnej. Tam odzyskałem przyjemność pisania, bo artykuły prasowe coraz bardziej mnie przygnębiały i zaczynałem odnosić wrażenie, że to ja naśladuję moich przeciwników. Zacząłem tworzyć autobiografie, w czym bardzo wspierał mnie Álvaro, twierdząc, że towar ten ma wielki, choć tłumiony popyt.

Artyści, politycy i słynni oszuści stukali do moich drzwi, ja jednak przyznałem sobie luksus wysłuchiwania wyłącznie osobników równie mrocznych jak ja sam.

Klientów przypominających mi tych, którzy kiedyś przychodzili do starego biura trzy metry na cztery w śródmieściu, z tą tylko różnicą, że ci tutaj byli na tyle bogaci, by płacić niebotyczne honoraria ustalone przez Álvaro, a także pokrywali koszt druku książki, rozprowadzanej następnie wśród przyjaciół i rodziny. Facetów takich, jak stary hodowca zebu z głębokiej dziury na końcu świata, którego wspomnienia, z życia spędzonego na pokładach transatlantyków, spisałem tak, że ociekały seksem, kokainą i opium i były mu osłodą ostatnich dni na szpitalnym łóżku. Ten człowiek był już naprawdę u samego kresu, niemal brakło mu siły, żeby podpisać mi egzemplarz *Miłosnego katalogu*, który zabrałem na spotkanie anonimowych autorów do Istambułu. Wybrałem najlepsze fragmenty do publicznej lektury, jednak koledzy domagali się, bym przeczytał całość, od deski do deski; i jeśli nawet mój tekst nie miał podpisu żadnej sławy, opowieść była nimi wypełniona, i kiedy pojawiały się nazwiska aktorek filmowych, pierwszych dam, pań ze śmietanki towarzyskiej, jednego czy drugiego księcia, z którymi staruszek chodził do łóżka, słyszałem śmiechy i zamieszanie wśród publiczności. Moja twórczość w owym czasie była bardzo obfita, a w przeddzień wyjazdu do Turcji zobowiązałem się, że nadam formę książki przygodom w Rio de Janeiro pewnego niemieckiego biznesmena, który teraz czekał na mnie w biurze. Ja jednak nie miałem ochoty na nic, szedłem powoli plażą, przyglądałem się dziewczynom jeżdżącym na rowerach, napiłem się soku kokosowego, niemal zasypiając przy ladzie, i kiedy dotarłem na miejsce, Niemiec właśnie sobie poszedł. Przez dobrą chwilę postałem przy recepcji, nie wiedząc, co robić, a wysoki głos Álvaro przebijał ściany: na pomysł rozdawania pomarańczy wpadł właśnie gubernator... trzeba byłoby ponumerować wszystkie konie... jasne, nikt nie łapie syfa przez telefon... ok, stary, jeśli chcesz dostarczę ci replikę na replikę, proszę bardzo... no to już dajmy spokój, na razie, cześć... halo... Recepcjonistka chciała mnie wprowadzić do Álvaro, ale nie miałem jakoś ochoty, czułem *jet lag*, zmianę czasu, marzyłem tylko o tym, żeby wrócić do domu.

Przekręciłem klucz, nikogo nie było w pokoju, w kuchni lała się woda, stała tam służąca. Przeszedłem przez korytarz, drzwi do sypialni były zamknięte, nacisnąłem klamkę tak, żeby nie hałasować. Popołudniowe słońce już stało nisko, przecinało żaluzje i wyświetlało kratę na podłodze i narzucie na łóżku. Drzwi do łazienki były otwarte, światło zapalone. Zawinięta w biały ręcznik, z rozstawionymi nogami, Vanda gwałtownie pochyliła głowę do przodu, dotykając niemal ziemi, jakby to był rodzaj pokuty. Przesuwała szczotkę od karku, ciągnąc kasztanowe włosy za cebulki, a ja mogłem patrzeć na jej nogi, ręce, nagie ramiona, skórę opaloną równomiernie na całym ciele poza piersiami i kawałkami ukrytymi pod majteczkami. Patrząc na Vandę tak nagle i z tak bliska, kolejny raz zadziwiłem się; zawsze nachodziła mnie wątpliwość po każdym powrocie z podróży, czy podczas mojej nieobecności Vanda piękniała, czy też w moich wspomnieniach jej uroda blakła. Podniosła czerwoną twarz, zobaczyła mnie w lustrze i spytała: wszedłeś przez taras? Nie, ukradłem klucz. Zwariowałeś, mój mąż może wrócić w każdej chwili. Twój mąż jest w Istambule. To niemożliwe, czekam na niego od wczoraj. Jego samolot spadł na ziemię. Och! Zrobiłem krok do przodu i oparłem się o nią, bosa nie sięgała mi wyżej brody, i przez dobrą chwilę przyglądaliśmy się naszemu odbiciu w lustrze, a ja przyciskałem jej biodra, tak jak to lubi. Potem odwróciła się łagodnie, z głową zwieszoną na prawo, z oczami zamkniętymi pod drżącymi rzęsami; po pocałunku, kiedy oderwie wargi od moich ust, powie: chce mi się spać. Oderwała wargi od moich ust, oparła się na umywalce, stanęła naprzeciwko mnie, ciągle z zamkniętymi oczami, przetarła je i powiedziała: padam, tak mi się chce spać. Przeszła obok jak lunatyczka, wolnym krokiem, ale prosto, i padła bez ruchu na łóżko, biały ręcznik zakrywał jej ciało. A słońce wpadało do pokoju i cień żaluzji odbijał się kratą na niej na łóżku. Vanda udawała, że śpi, czekając, żebym dotknął językiem skóry za jej uchem. Celowo odczekałem kilka sekund, zauważyłem, że ręcznik jest idealną formą na jej ciele; gdybym go ostrożnie z niej zdjął, mógłbym w zasadzie stworzyć drugą Vandę leżącą na brzuchu. W końcu uklęknąłem na podłodze i dotknąłem językiem skóry za jej uchem, pachnącym mydłem. Nagle wyskoczyła z łóżka, myślałem, że dalej będzie ciągnęła zabawę z mężem, ale nie. Miała nagłe macierzyńskie przeczucie, że dziecko jest gdzieś na dole, na podwórku albo w garażu, bo kilka minut później jego płacz dotarł do mieszkania. Vanda stała już w dżinsach i koszuli w drzwiach sypialni, co się stało? Co ci się stało? Nic się nie stało, jakiś chłopak go pobił i niańka przyprowadziła go wcześniej ze szkoły. Wyciągnięty na łóżku teraz ja udawałem, że śpię, zobaczyłem jednak, że dzieciak przybrał parę kilo. Mój syn był tłusty.

Niemiec był kompletnie pozbawiony zarostu, nie miał włosów ani brody, ani brwi. Choć nie był stary, miał pomarszczoną skórę, najprawdopodobniej z powodu słońca w Rio, przez siedem lat skóra schodziła mu za skórą, aż wreszcie została ta skóra, jakby z papieru, zmieniona w prowizoryczną skorupę. Prostował się na krześle zawsze, kiedy włączałem magnetofon, i mówił po portugalsku z egzotycznym akcentem, ale płynnie, przerywał tylko po to, żebym zmienił taśmę lub kiedy Álvaro wchodził do pokoiku. Wchodził bez pukania, bez żadnego powodu, wychodził, wracał z kontraktem dla Niemca, wychodził, zostawiał otwarte drzwi. Niemca już nie było, a on dalej wchodził raz po raz, mówił wszystko jedno co i gapił się w stronę mojego komputera, zmuszając mnie do zasłaniania ekranu dłońmi, żeby nie zobaczył moich notatek. Dopiero późnym popołudniem, kiedy on i jego chłopcy wychodzili z biura, czułem się na tyle bezpieczny, żeby się brać do pracy. Włączałem na chybił trafił jedną z dwudziestu kaset, jakie Niemiec nagrał, słuchałem nieuważnie jego głosu, kładłem palce na klawiaturze i stawałem się jasnowłosym, różowoskórym mężczyzną sprzed siedmiu lat, kiedy to wyruszyłem z Hamburga i trafiłem do zatoki Guanabara. Nic nie wiedziałem o tym mieście, nawet nie zamierzałem uczyć się tutejszego języka, przyjechałem na polecenie Przedsiębiorstwa, a w Przedsiębiorstwie mówiło się tylko po niemiecku. Nie sądziłem, że poznam Teresę, która zaprowadzi mnie do Chamego do Gambá, baru, gdzie piło się piwo i śpiewało samby przez całą noc. Tam zacząłem poznawać język, w którym porywam się pisać własnoręcznie tę książkę, co wydawałoby się niewyobrażalne przed siedmiu laty, kiedy wyruszyłem z Hamburga i trafiłem do zatoki Guanabara. Przy pierwszym kontakcie język, klimat, jedzenie, miasto, ludzie, wszystko, wszystko wydało mi się tak absurdalne i wrogie, że wylądowałem w łóżku, a kiedy po upływie wielu dni wreszcie wstałem, z przerażeniem zobaczyłem, że wszystkie włosy, jakie miałem na ciele, teraz leżą w pościeli. Potem spotkałem Teresę i zacząłem rozgryzać ten kraj, poznałem kawiarnie, dzielnice nędzy, poszedłem na mecz, trudniej mi było pójść na plażę, bo się wstydziłem. Gasiłem światło, idąc do łóżka z Teresą, ona jednak gładziła mnie po całym ciele, mówiąc, że jestem miły w dotyku i gładki jak wąż. Tak wspaniałej mulatki jak Teresa nie mógłbym sobie nawet wyobrazić przed siedmiu laty, kiedy wypłynąłem z hamburskiego portu. Ożeniłbym się z nią, gdyby wcześniej nie zamieniła mnie na szwajcarskiego kucharza, a wtedy całkiem wyłysiałem, straciłem nawet włosy łonowe i pod pachami, wszystkie, a lekarz zdiagnozował utratę owłosienia na tle nerwowym. Miała być to utrata czasowa, okazało się jednak, że jest inaczej, w końcu przyzwyczaiłem się do siebie bez włosów, nie brakowało mi ich bardziej niż Teresy, a i do jej braku też w końcu się przyzwyczaiłem. Zapomniałem Teresę tak samo, jak zapomniałem Hamburg, porzuciłem Przedsiębiorstwo, żeby założyć organizację pożytku publicznego, czy raczej żeby podrywać dziewczyny na plaży, coś, czego nie można byłoby sobie wyobrazić siedem lat wcześniej, kiedy wpłynąłem do zatoki Guanabara i w ekstazie straciłem wszystkie włosy. Jednak mój tekst był zły, rozjeżdżał się, wcale się nie rozwijał. Coś mi przeszkadzało, do głowy przychodziły mi dziwne słowa, zdzierałem palce na klawiaturze, a pod koniec nocy całą robotę posyłałem w diabły. Powłócząc nogami, docierałem do domu i zastawałem moje miejsce w łóżku zajęte przez tłuste dziecko. Z Vandą przestałem już rozmawiać na ten temat, bo ona zawsze miała na wszystko gotową odpowiedź. Poza tym, że dziecko było monstrualne, miało wkrótce skończyć pięć lat i jeszcze nie mówiło, mówiło mama, niania, siusiu, a Vanda twierdziła, że Arystoteles nie mówił przez pierwszych osiem lat swojego życia, nie wiem, skąd wzięła tę wiadomość. Nad ranem z kolei zaczął gaworzyć bez sensu, wydawał irytujące dźwięki, cmokał kącikami ust; nawet we własnym łóżku nie miałem spokoju, znosiłem to z trudem, zagryzałem wargi, w końcu wybuchnąłem: zamknij się wreszcie, na miłość boską! Zamknął się, ale Vanda wzięła go w obronę: przecież on tylko cię naśladuje. Co naśladuje?! Ciebie, bo gadasz przez sen. Kto, ja?! Tak, ty. Ja? Ty! Od powrotu z tej twojej podróży. Właśnie. W tym momencie odkryłem, że w moich snach mówię po węgiersku.

Wspomnienie przejazdu przez Budapeszt zatarło mi się w pomięci. Kiedy je przywoływałem, przypominało nagły wypadek, fotografię, która zaledwie mignęła na taśmie wspomnień. Nierealny szczegół, o którym nie opowiadałem Vandzie ani nikomu innemu. Prawdą jest jednak, że Vanda też nigdy nie dopytywała, jakich to wielkich pisarzy spotykam co roku na kongresach, o których nie mówią ani słowa żadne wiadomości. Być może broniła się przed fantazjowaniem o przygodach męża w szerokim świecie, wśród poetek, dramatopisarek i antropolożek, doprowadzających mnie do takiego szaleństwa, że zapominałem o powrotnych samolotach do domu. Zresztą nudne i bez sensu byłoby opowiadanie Vandzie, niemającej ochoty słuchać, o moim samotnym poranku w Budapeszcie. Cały ten epizod byłby już martwy i pogrzebany, gdyby dzieciak nie zaczął naśladować mojego snu, próbując zbliżyć się do mnie, co zrozumiałem później i odrzuciłem z niewyjaśnioną brutalnością. Punktualnie o wpół do siódmej w następne poranki, kiedy matka i syn budzili się na dźwięk budzika, ja też zmuszałem się do wstania. Zacząłem poświęcać dzieciakowi czas przed wyjściem do pracy, który wcześniej zazwyczaj wykorzystywałem na przeciąganie się, myślenie o życiu i czytanie gazet w łazience. Teraz, kiedy Vanda wychodziła do telewizji, zostawałem i razem z synem jadłem śniadanie. Obserwując go przy lodach na zmianę z butelkami coca-coli, starałem się odnaleźć jego regularne rysy na nalanej buzi, i stwierdziłem, że mogłoby to być bardzo ładne dziecko. Rogiem serwetki ocierałem mu z pyszczka kryształki cukru i widziałem wydatne usta jego matki, po niej też odziedziczył czarne oczy. Miałem ochotę odgarnąć ciemne loki, które zasłaniały mu częściowo buzię, jednak w porę powstrzymywałem się speszony w pół gestu – moje ręce składały się do gestu, jakim pieściłem twarz Vandy. Przeszło miesiąc czekałem, żeby powtórzył słowa z mojego snu, tylko w ten sposób mogłem odzyskać spokój. Mów, synku, niemal błagałem, trzymając go za rączki, wtedy jednak zaczynał płakać, wołał mamę albo nianię. Przynajmniej niania dzieliła ze mną zgryzotę z powodu afazji chłopca. Powiedziała, że kiedy tylko zaczęła pracować, od razu ostrzegła panią Vandę: niemowlak, który ogląda swoje odbicie w lustrze, nie zacznie mówić. Vanda, kiedy przekazałem jej te uwagi, wcale się nie śmiała i zapewniła mnie, że dzieciak z dala ode mnie robi duże postępy; jako zaborcza matka, twierdziła, że to być może dlatego, iż moja stała obecność go przygniata. Tak czy inaczej, znów zacząłem się dłużej wylegiwać. Jednak myśl o węgierskich słowach uparcie wracała, gdziekolwiek byłem – w łóżku, w łazience, a zwłaszcza w biurze, przed komputerem, przed pustym ekranem w kolorze lodu. Pewnego dnia tak się zdarzyło, że Álvaro wtargnął do mojego pokoiku, machając gazetą: popatrz, stary, ten twój zagraniczniak staje się gwiazdą. W rubryce kulturalnej informowano, że Kaspar Krabbe, biznesmen zamieszkały w Rio, właśnie kończy swoją opartą na wspomnieniach powieść. Przestraszyłem się, pomyślałem, że zadzwonię do Niemca, musiałem go uprzedzić, że praca nieco się opóźnia, ale mój wzrok padł na inną wiadomość, zamieszczoną na dole strony: węgierski konsulat wydaje tego wieczoru przyjęcie na cześć zasłużonego poety Kocsisa Ferenca.

Nie lubiłem wychodzić na kolację poza domem, na imprezy nikt mnie nie zapraszał, teatr mnie denerwował, czekałem, żeby nowe filmy wyszły na kasetach, dlatego Vanda, kiedy zadzwoniłem do niej z biura, z radości nawet nie zapytała, dokąd właściwie pójdziemy, kazała służącej wyprasować mój szary garnitur i pobiegła na zakupy. W domu zazwyczaj nosiła podkoszulki, bermudy, dżinsy, może i była to garderoba kobiety zrezygnowanej, ja jednak wolałem sądzić, że na tym polega jej styl. Nawet kiedy czytała wiadomości w telewizji, ubierała się nieformalnie, jakby domowo. Nic więc dziwnego, że dzieciak przestraszył się, kiedy zobaczył ją w czarnej marynarce

i spódnicy, na szpilkach, w naszyjniku i kolczykach, z ró-
żem i szminką na twarzy, z włosami spiętymi w kok.
Żeby dzieciaka uspokoić i uśpić, musiała się rozebrać,
zmyć makijaż, rozpuścić włosy, a potem zanim wreszcie
dotarła do mnie, czekającego w garażu, dobre półtorej
godziny zajęło jej doprowadzenie się do poprzedniego
stanu. Po drodze w kierunku plaży Flamengo improwi-
zowałem hymny pochwalne na cześć Kocsisa Ferenca,
znakomitego wyraziciela węgierskiej duszy, cytując *Sek-
retne tercyny*, jego najwybitniejsze dzieło. Na poczekaniu wymyśliłem te tercyny, Vanda jednak niezwłocznie
przyznała, że je zna, czytała o nich w jakimś dodatku
literackim. Dodała, że tom Kocsisa był wielokrotnie nagradzany, publikowany w licznych krajach, przetłuma-
czony nawet na chiński, wielką przyjemność sprawiało
mi słuchanie bezsensownego gadania Vandy, śmiałem się
w duszy, mszcząc się na sobie w ten sposób za to, że ją
kocham. Nadal mówiła na temat *Sekretnych tercyn*, kiedy
dotarliśmy do konsulatu, gdzie nie było fotografów ani
ochroniarzy, ani samochodów z dyplomatycznymi rejes-
tracjami, ani nawet parkingowego, nie było nikogo, naprzeciwko budynku stała latarnia, rosły dwie nędzne pal-
my i było wolne miejsce, gdzie zaparkowałem samochód.
Strażnik otworzył nam żelazne drzwi, nie zadając żadnych
pytań, a gdy przyciskałem guzik w windzie, zauważyłem
lekkie drżenie własnej ręki. Kiedy już dojeżdżaliśmy na
szóste piętro, wymieniliśmy z Vandą spojrzenie; byłem

duchowo przygotowany na język Budapesztu, tak jak ona była wystrojona w klejnoty. I oto staliśmy przed windą w niewielkim korytarzu, cichym, ledwie oświetlonym światłem padającym przez wąską szybę w drzwiach apartamentu numer sześćset dwa; gdy jednak odważyłem się popchnąć drzwi, konsulat wybuchnął brawami. Następnie około pięćdziesięciu osób stojących w salonie, zwróconych twarzą do okna, poruszyło się, przemieściło, zwróciło w różnych kierunkach i zaczęło rozmawiać między sobą. Brzmienie języka węgierskiego otaczało mnie coraz szczelniej, kiedy wchodziłem w głąb salonu. Wokół mnie pulsowały węgierskie głosy, nie podejrzewając nawet, że odsłaniają swe sekrety przed intruzem. I przez to, że nie znałem znaczenia słów, z tym większą dokładnością dostrzegałem modulacje języka; zwracałem uwagę na każdą wątpliwość, każde wahanie, przerwane zdanie, słowo przecięte jak owoc, które mogłem podglądać od środka. Pochłonięty przez uroczystość, zapomniałem na dobrą chwilę o Vandzie, którą porzuciłem wcześniej gdzieś przy drzwiach. A ona tam właśnie nadal stała, w kręgu pań, które prawdopodobnie znały ją z telewizji. Podszedłem bliżej, żeby dowiedzieć się, co ją tak bawiło, ale wszyscy wokół mówili do niej po węgiersku, a ona potakiwała. Vanda była prawdziwą atrakcją w salonie jak z imienin u cioci, pełnym osób w średnim wieku, dość podobnych do siebie, ubranych z jednakową prostotą. Pan w szarym garniturze, takim samym jak mój, być może konsul we własnej osobie, kręcił się z kryształową karafką w ręce, dolewając gościom; kiedy natknął się na mnie i Vandę, którzy staliśmy z pustymi rękami, szybko zaopatrzył nas w dwa kieliszki bardzo słodkiego likieru o smaku damaszek. Za nim szła kobieta o włosach ufarbowanych na rudo z tacą pełną bułeczek. Ciasto z dyni, pomyślałem, kobieta jednak wykonała półobrót, a za jej przykładem wszyscy zamilkli i zwrócili się do okna. Stał tam mężczyzna jakby narysowany długimi liniami, nieco zgarbiony, ani stary, ani młody, wyglądający na chłopaka o powierzchowności starca. Miał cienkie włosy, które rozwiewała bryza, w tle widać było oświetlony Pão de Açúcar w kolorze dyni. To musiał być Kocsis Ferenc, z książką w jednej ręce i kieliszkiem w drugiej. Starałem się, a Vanda ze mną, zbliżyć do poety, który mówił cicho, głosem pełnym powagi, głębokim. Recytował wiersz znany słuchaczom, którzy szeptali razem z nim słowa: egyetlen, érintetlen, lefordíthatatlan. Vanda ze śmiechem pochyliła się do mojego ucha i nie mogłem uwierzyć, że ma odwagę tłumaczyć wiersz. Jak nasz Joaquinek szepnęła mi, bo kiedy poeta wypowiadał te trzy słowa, trzaskał lekko wierzchem języka, zupełnie jak nasz syn, kiedy mnie naśladował. Wiersz stawał się coraz gwałtowniejszy, podobnie jak wiatr za oknem, który wichrzył włosy poety i przewracał kartki książki. Lecz Kocsis Ferenc nie zaglądał już do książki, wypowiadając bolesne słowa; jego jasne oczy szukały wzroku każdego ze słuchaczy, nawet mojego. Jego niebieskie nakrapiane oczy wreszcie zatrzymały się na czarnych źrenicach mojej żony. Zrobił przerwę, wypił likier jednym haustem i znów zaczął recytować, nie odrywając wzroku od mojej żony. Obserwowałem ją z ukosa, jej wpółotwarte usta, drżące rzęsy, krew napływającą do twarzy, w jej lewym oku pojawiła się łza, kiedy facet skończył, z emfazą: egyetlen, érintetlen, lefordíthatatlan! Zabrzmiały oklaski, następnie wszyscy poodwracali się w różne strony, wszyscy poza Vandą, która wpatrzona w Węgra wyglądała jak święta wpatrzona w niebiosa podczas modlitwy, z dłońmi złożonymi do oklasków. Musiałem nią potrząsnąć, pociągnąłem za sobą, przecięliśmy salon i wyszliśmy po angielsku. Na wysokości plaży Botafogo Vanda zaczęła insynuować, jakobym dostał napadu zazdrości, ale tylko ona nie dostrzegła, że poeta był gejem. Przy Copacabanie spytałem, czy nie ma ochoty na japońskie jedzenie, a ona zamyśliła się. Na Ipanemie padał deszcz, a Vanda, trzymając rękę na moim udzie, powiedziała, że w domu jest zupa groszkowa. W garażu pocałowałem ją w usta, Vanda złagodniała, w windzie udawała, że zasypia na stojąco, i tak się to skończyło.

Rankami, kiedy Vandy nie było w domu, mógłbym przyjmować klientów w kącie salonu i pracować niepodglądany przez innych. Wiele razy myślałem, żeby zabrać do domu komputer i słowniki, ale przez to Álvaro mógłby usunąć mnie ze spółki. Zredukował już wyraźnie moje udziały, nie całkiem bez racji; nie miał ochoty ponosić ciężaru dziesiątki redaktorów, którzy raz lepiej, raz gorzej, ale dawali sobie radę z moimi obowiązkami. Nawet z pięcioma procentami w Cunha & Costa mówił, będziesz mógł wieść żywot jak nabab, na obiad lecieć do Paryża, a na kolację do Nowego Jorku, nurkować z żoną na Karaibach, latać dookoła świata aż do zawrotu głowy. Pewnego dnia, kiedy właśnie rozmyślałem o następnym urlopie Vandy, Álvaro wtargnął do mojego pokoiku z telefonem przy uchu, mówiąc jeszcze głośniej niż zazwyczaj. Pierwszy raz w życiu widziałem telefon komórkowy i z wrażenia zapomniałem zaciemnić ekran monitora. Musiał zauważyć kiery, karo, króla, ósemkę pik i zielone tło; od dawna włączałem komputer wyłącznie po to, żeby układać pasjanse. Miał na linii Niemca i przepraszał w moim imieniu za niesłowność, zaległe terminy, wydane za granicą zaliczki, śmieszne odszkodowanie wynikające z kontraktu. Rozłączył się i powiedział, że jeśli nie mam nic przeciwko temu, może oddać książkę Niemca komu innemu, bo właśnie zatrudnił genialnego chłopaka, i sam nie wiem, czy blefował, czy naprawdę miał ochotę mnie upokorzyć. Dość, że w tej samej chwili zamknąłem grę, zakasałem rękawy, położyłem palce na klawiaturze, wyruszyłem statkiem z Hamburga, wpłynąłem do zatoki Guanabara i nawet wolałem już nie słuchać kaset Niemca. Byłem młodym zdrowym blondynem, wpływając do zatoki Guanabara, błąkałem się po ulicach Rio i poznałem Teresę. Słysząc, jak śpiewa, zakochałem się w jej języku, i po trzech tygodniach kompletnej niemocy poczułem, że historię Niemca mam na końcu palców. Opowieść układała mi się spontanicznie, w rytmie, który nie był mój, pierwsze słowa w języku tubylczym napisałem na łydce Teresy. Na początku nawet to lubiła, pochlebiało jej, kiedy mówiłem, że piszę książkę na niej. Potem zaczęła być zazdrosna, odmawiała mi swego ciała, mówiła, że potrzebuję jej tylko do pisania książki, i kiedy byłem już w siódmym rozdziale, porzuciła mnie. Kiedy odeszła, straciłem wątek, wróciłem do wstępu, moja znajomość języka cofnęła się, myślałem nawet, żeby rzucić to wszystko i wyjechać do Hamburga. Spędzałem całe dnie w katatonicznym osłupieniu przed białą kartką papieru, Teresa stała się moim nałogiem. Próbowałem pisać coś na sobie samym, ale to nie było to, poszedłem więc na Copacabanę do dziwek. Płaciłem, żeby pisać na nich, i chyba je przepłacałem, bo udawały orgazmy, które całkowicie mnie dekoncentrowały. Zastukałem kiedyś do drzwi Teresy, wyszła za mąż, rozpłakałem się, podała mi rękę, pozwoliła, żebym napisał na niej kilka słów, zanim nie wróci mąż. Zacząłem molestować uczennice, które czasem pozwalały mi pisać na swoich bluzkach, potem na wewnętrznej stronie łokcia, gdzie czuły łaskotki, potem na spódnicach, na udach. I pokazywały napisane teksty koleżankom, które wysoko ceniły moje pisanie, i przychodziły do mojego mieszkania, prosząc, żebym napisał książkę na ich twarzach, na szyi, potem rozpinały bluzki i podsuwały mi piersi, brzuchy i plecy. I dawały moje teksty do czytania młodszym koleżankom, które przychodziły do mojego mieszkania i błagały, żebym zdarł im majteczki, a czerń moich liter błyszczała na ich różowych pośladkach. Dziewczynki pojawiały się w moim życiu i znikały, a moja książka była rozproszona po okolicy, każdy rozdział biegał swoimi drogami. I wtedy pojawiła się ta, która nauczyła mnie pisać od końca do początku. Zazdrosna o moje pisanie, tylko ona potrafiła je odczytać, patrząc na siebie w lustrze, nocą ścierała to, co w ciągu dnia zostało napisane, żebym nigdy nie przestał pisać na niej mojej książki. Zaszła ze mną w ciążę i na jej brzuchu moja książka zyskiwała nową formę, pisałem dniami i nocami bez przerwy, nie jedząc nawet kanapek, zamknięty w pokoiku w biurze, aż wreszcie, u kresu sił, napisałem ostatnie zdanie: i ukochana kobieta, której mleko już piłem, napoiła mnie wodą, w której prała swą bluzkę. Wróciłem do początku tekstu w komputerze; redakcja książki to dla mnie czas najgłębszego przywiązania do tekstu i największego poświęcenia. Wkrótce będzie miała nowego autora, bo oddanie skończonej i gotowej książki zawsze jest bolesne, nawet dla zawodowca tak zahartowanego jak ja. Jednak książką Niemca, może dlatego, że została napisana jednym ciągiem, nie zdążyłem się nawet nacieszyć, słowa umykały przed moim wzrokiem. Zapisywane, przestawały do mnie należeć z taką samą szybkością, z jaką były pisane. Widziałem moje słowa oddzielnie na ekranie i przerażony wyobrażałem sobie, że je tracę, podobnie jak Niemiec tracił włosy. Wydrukowałem tekst książki, przekartkowałem go po raz ostatni, i mając przeczucie, że jest to moja ostatnia książka, nie chciałem sprzedać jej za żadną cenę. Zamknąłem oryginał w szufladzie, potem jednak wyobraziłem sobie, jaką minę będzie miał Álvaro, i otworzyłem ją. Wsunąłem stos kartek do szarej koperty, na etykiecie napisałem odręcznie tytuł *Kobietopisarz*, litery wyszły blado, wydawało się, jakby wyczerpał się mój własny atrament. Przeszedłem przez pokój chłopaków, ich milczenie było tak głębokie, że miałem wrażenie, jakbym słyszał ich śledzące mnie oczy. Wszedłem bez pukania do pokoju Álvaro i rzuciłem mu na biurko kopertę z dwustustronicową książką, on tymczasem rozmawiał przez telefon i nie zwrócił na to specjalnej uwagi. Wyszedłem na avenida Atlântica, padał drobny deszcz, plaża była pusta, woda ciemna i pomarszczona. Znalazłem schronienie w pobliskim kiosku i zacząłem się zastanawiać, czy potrafiłbym żyć z dala od oceanu, w mieście, które nie urywa się gwałtownie w morzu, ale umiera powoli na wszystkie strony. Przez jakiś czas patrzyłem, jak na brzegu rozbijają się fale i linia wody przesuwa się do przodu na piasku: wyglądało to nie jak przypływ, ale jakby kontynent zanurzał się w morze. Wszedłem pomiędzy domy, w pośpiechu otworzyłem drzwi pierwszej napotkanej apteki, pozdrowiłem farmaceutkę i zaraz wyszedłem, sam dobrze nie wiedząc, po co właściwie tam wchodziłem. W barze na rogu zamówiłem piwo, zobaczyłem, że naprzeciwko jest biuro podróży, zostawiłem piwo, przeszedłem na drugą stronę ulicy i kupiłem dwa bilety do Budapesztu.

Vanda przyprowadziła synka do samej windy, starając się go przekonać, że wyjeżdżam sam, z pięcioma dużymi walizkami i dwiema torbami podręcznymi. Czekałem w taksówce czterdzieści minut, zanim udało jej się oszukać dziecko i zostawić je w łóżku. W milczeniu dojechaliśmy na lotnisko, gdzie urzędniczka w okienku poprosiła ją o autograf i nie zwróciła uwagi na nadbagaż. W sali dla VIP-ów poprosiłem o dwa kieliszki szampana, powiedzieliśmy cin cin i nic więcej. Kiedy w głośniku zapowiedziano lot do Londynu, miałem wrażenie, że Vanda lekko zacisnęła wargi, po czym szybko wstała, pocałowała mnie w czoło i zniknęła, ciągnąc za sobą walizkę na kółkach. Zamówiłem kolejny kieliszek szampana i zacząłem kartkować czasopismo pełne twarzy, których zdjęcia wydały mi się nieostre. W myślach ciągle miałem wyraźny obraz twarzy Vandy, kiedy otworzyła bilet wręczony jej przeze mnie w zamszowej torbie, owiniętej w jedwabny papier. Budapeszt? A co można robić w Budapeszcie? Trudno było znaleźć odpowiedź – patrzeć na Dunaj? Pić likier? Słuchać poetów? Vanda chciała poprawić swój angielski, oglądać przedstawienia muzyczne, poza tym jej siostra bliźniaczka, Vanessa, była w Londynie, mogłyby razem chodzić po Soho, grać w tenisa, w Budapeszcie nie znała nikogo, czy tam są centra handlowe? Nie wiem, pewnie są cukiernie, wspaniałe muzea. Budapeszt? Nie ma mowy! Poszła do biura podróży, zmieniła swój bilet, jakby wpadła do sklepu, żeby wymienić prezent, którego rozmiar okazał się niewłaściwy. Mógłbym się nawet obrazić, ale nie było kiedy, ona obraziła się wcześniej, twierdziła że pierwszy raz od miodowego miesiąca odmówiłem wspólnego wyjazdu podczas jej urlopu. Milczała od tego momentu dniami i nocami, chciała, żebym czuł się winny jej reakcji. A teraz, kiedy słyszałem ostatnie wezwanie do samolotu do Paryża, gdzie miałem moją przesiadkę, zrobiło mi się trochę żal Vandy, która samotnie leciała nad Atlantykiem, być może zastanawiając się, jak bardzo była dla mnie niesprawiedliwa. Być może właśnie w tej chwili cierpi, że nie siedzi obok i nie trzyma mnie za rękę, w samolocie startującym w kierunku Budapesztu. Nie wiedziała, że tak naprawdę nigdy bym jej nie zaprosił do Budapesztu, gdybym nie był pewien, że polecę tam sam.

Nigdy nie widziałem

Kriska rozebrała się nieoczekiwanie, a ja stwierdziłem, że nigdy nie widziałem tak białego ciała. Skórę miała tak białą, że sam nie wiedziałem, jak jej dotknąć, gdzie przyłożyć ręce. Biała, biała, biała, mówiłem, piękna, piękna, piękna, moje słownictwo było ubogie. Po chwili przyglądania się zapragnąłem dotknąć tylko piersi, małych różowych brodawek, jednak jeszcze nie nauczyłem się prosić. Nie odważyłbym się zrobić kroku bez jej zgody, bo wiedziałem, że Kriska jest wielbicielką dyscypliny. Na pierwszych lekcjach musiałem umierać z pragnienia, bo wypowiadałem słowo woda, woda, woda, z niewłaściwą melodią. Przyniosła któregoś dnia całą blachę bułeczek z dyni, pachnące podsunęła mi pod nos, i wszystkie wyrzuciła, bo nie potrafiłem poprawnie ich nazwać. Zanim się zapamięta i zacznie poprawnie wymawiać słowa w jakimś języku, jasne, że wcześniej zaczyna się je rozróżniać, chwytać ich znaczenie: stół, kawa, telefon, zamyślona, żółty, wzdychać, spaghetti po bolońsku, okno, piłka, radość, jeden, dwa, trzy, dziewięć, dziesięć, muzyka, wino, bawełniana sukienka, łaskotki, wariat, i pewnego dnia odkryłem, że Kriska lubi, kiedy się ją całuje w kark. Wtedy zdjęła przez głowę swoją bezkształtną suknię, nie miała nic pod spodem, a mnie zakręciło się w głowie od tak wielkiej bieli. Przez sekundę pomyślałem, że nie jest kobietą, którą można dotknąć tu czy tam, ale jest wyzwaniem, by równocześnie dotknąć całej jej skóry. W tej samej sekundzie poczułem strach, że powie mi: bierz mnie, kochaj się ze mną, pieprz mnie, przeleć, czy jak też węgierskie kobiety to mówią. Ona jednak nie odzywała się, stała z zagubionym spojrzeniem, nie wiem, czy poruszona moim przyglądaniem się, czy powolnym wypowiadaniem słów w jej języku, biała, piękna, piękna, biała, biała, piękna, biała. Ja też byłem coraz bardziej poruszony, wiedząc, że zaraz poznam wszystkie zakamarki jej ciała i, z równą lub jeszcze większą rozkoszą, ich nazwy.

Nocne lekcje z Kriską czasem przeciągały się aż do rana, z jej domu szedłem prosto do siebie. W drodze do hotelu, a nawet w czasie lekcji, albo po przebudzeniu, lub zamiast spania, nagle zadawałem sobie pytanie, co też o tej porze może robić Vanda w Londynie. Wiedziałem, że lubi wcześnie wstawać i urządzać wycieczki, łatwo znajduje przyjaciół, filmuje posągi, jada na stojąco, stoi w kolejce, wchodzi po schodach; kiedy podróżowaliśmy razem, zazwyczaj spotykaliśmy się dopiero przy kolacji.

Nie mogę jej krytykować, ja sam widziałem tyle miast, że dziś mógłbym je wszystkie pomylić. Dużo czasu zajęło mi, zanim zrozumiałem, że aby poznać miasto, lepiej zamknąć się w jakimś mieszkaniu, niż oglądać je z okien piętrowego autobusu. Nie jest łatwo, i dobrze wiedziałem, że nie jest łatwo wejść w Budapeszt. Już na lotnisku musiałem oprzeć się udogodnieniom czekającym na nowo przybyłych: hostessy z biur podróży, taksówki stojące z otwartymi drzwiczkami: sir, signore, monsieur, mister. Powierzyłem walizkę dyskretnemu profesjonaliście i przez minutę milczeliśmy wewnątrz samochodu. W końcu zaryzykowałem, hotel Plaza, przyszło mi do głowy, bo w każdym mieście na świecie można znaleźć hotel o tej nazwie. Iô, iô, powiedział kierowca, i wiózł mnie burymi przedmieściami, z rzadka oświetlonymi rtęciowymi latarniami. Byłem dość zmęczony, piekły mnie oczy, drzemałem i nagle trafiliśmy w zgiełk miasta tak jasno oświetlonego, że z trudnością dawały się rozróżnić fasady, rogi, place, wszędzie było światło. Jeden z neonów należał do hotelu Plaza, który podobnie jak większość tych hoteli nie stał przy żadnym placu, tylko na pochyłej ulicy. Sorry, désolé, nie mogli znaleźć mojej rezerwacji, udawałem, że nie rozumiem, stukając palcami w ladę recepcji, wreszcie umieszczono mnie w pokoju z tarasem. Wyszedłem na ulicę pełną restauracji i sal z typowymi spektaklami dla turystów: buona sera, bienvenue, the real goulash, the crazy tchardash, se habla español, i tak dalej. Ruszyłem ulicą w górę, gdzie zaczyna się dzielnica rezydencji, spokojna, pełna drzew, z kamiennymi brukami z dziewiętnastego wieku. Przeszedłem już jakieś siedem przecznic, kiedy usłyszałem lamenty, jakby jęki ochrypłej kobiety i rannego mężczyzny, i dostrzegłem parę skuloną za topolą. Zatrzymałem się, pomyślałem, że dobrze byłoby zawrócić do hotelu, lecz dziewczyna oderwała się od drzewa i podeszła do mnie. Wyglądało, że o coś prosi, może o papierosa, i fakt, że ktoś zwrócił się do mnie po węgiersku, wpędził mnie w dumę. Nie miałem papierosów, rzuciłem palenie przed rokiem, lecz bez zastanowienia odparłem iô, iô. Farbowana blondynka zakręciła się na nodze, jej spódnica zawirowała i dziewczyna z wielkim poruszeniem powiedziała coś do drzewa, zza którego wyszedł chłopak o silnych ramionach, bez koszuli, w kamizelce khaki pokrytej kieszeniami, takiej jak noszą fotograficy. Ona ruchem ręki, on kiwając głową, zapraszali mnie, by im towarzyszyć przecznicą w lewo. Szedłem za nimi z pewnym lękiem, żeby nie stracić orientacji w stosunku do ulicy z moim hotelem. Nasz cel znajdował się w odległości jakichś stu metrów i był małym domkiem z czerwonym neonem, jakby pisanym odręcznie: The Asshole.

Bar o angielskiej nazwie, urządzony jak angielski pub, z szafami grającymi angielskiego rocka, zaraz zauważyłem, że The Asshole był odwiedzany wyłącznie przez Węgrów. W półmroku młoda klientela lokalu nie odrzuciła mnie, mimo że jestem cudzoziemcem, mam około czterdziestki i przerzedzone włosy. Zajęliśmy mały okrągły stolik, ja, wyglądająca na nieletnią blondynka w różowej spódnicy i zakochany fotografik, najwyżej trzydziestoletni. Kelnerka pojawiła się bez wołania, wymieniła trzy buziaki z każdym z nich i postawiła na stoliku trzy kieliszki. Stanęła przy mnie z woreczkiem monet, nagie udo z cellulitem przyciśnięte do brzegu stołu, i wtedy zrozumiałem, że zostałem zaproszony, by sfinansować nocny wypad do baru. Z przyjemnością wyjąłem forinty, zapłaciłem za tę i kolejnych dziesięć czy dwanaście kolejek czegoś, czego nie potrafiłem zidentyfikować, bo płyn był zbyt zmrożony i pachniał czystym alkoholem. Pojawiły się też puszki piwa, które blondynka piła, tańcząc między stolikami, potykała się o nie, wpadała w ramiona siedzących gości. Niezadowolona zaczęła się do mnie wdzięczyć, jej chłopak palił cygaro, wpatrując się w sufit, a wszyscy narzekali na zbyt głośną muzykę. Blondynka była bezczelna, wskazywała na mnie pośród wybuchów śmiechu i krzyczała do fotografika: dobrze, żebyś wiedział, pójdę z tym facetem do łóżka, albo: ze mną w łóżku ten facet zaraz się dowie, co to znaczy zrobić komuś dobrze, albo: dowiedz się, że zaraz pójdę z tym facetem, który wygląda na dobrego w łóżku, czy tym podobne rzeczy; zacząłem uważać, że opanowałem język węgierski, jeśli mówiło się głośno i wyraźnie. Ten facet w łóżku mógłby być twoim ojczymem, zrozumiałem, fotografik powiedział jej to z grymasem na ustach, wskazując na mnie brodą. Zaraz potem rozdeptał niedopałek cygara, wstał, stanął naprzeciwko niej, był dwa razy wyższy i mógłby ją rozgnieść miękkim klapsem. Chwycił ją za biodra, podrzucił w górę, przytrzymał ramieniem i odrzucił, wirującą, na środek sali, czerwone majtki ukazały się oczom wszystkich, potem wyskoczył ponad poziom blatu stołu, wyrzucił w górę nogi i rozprostował je do poziomu. Był jak sprężyna, przejeżdżał butem na wysokości końskiego ogona kelnerki, i wszyscy w barze oklaskami odmierzali rytm rock and rolla. Blondynka starała się naśladować go nieporadnie, ludzie się śmiali, a ja uznałem, że pora się wycofać. Wstałem, zatoczyłem się i ledwo utrzymując równowagę, z trudem dotarłem do drzwi, bo mój tułów był szybszy niż nogi. Nabrałem w płuca świeżego porannego powietrza, poszedłem w prawo, zastanowiłem się chwilę, wróciłem, i znów natknąłem się na tę samą parę, machającą do mnie przed wejściem do The Asshole.

Zaproponowali, że pokażą mi drogę powrotną, iô, iô, rzeczywiście byłem zdezorientowany. Szli przede mną, ona jak dziecko uwiesiła się ramienia mężczyzny, rozczuliłem się na ten widok, stanęła mi przed oczami scena z jakiegoś zapomnianego filmu. Zatrzymali się pod drzewem, to była ta sama topola, pod którą ich spotkałem, pożegnałem się dyskretnym skinieniem głowy, pomyślałem, że pewnie dalej chcą się do siebie czulić. Jednak wkrótce zrównali się ze mną na ulicy, co było nadmiarem grzeczności, bo wiedziałem już, że jestem o siedem przecznic od hotelu. Weszli do hotelu za mną, maskowali się w hallu, kiedy brałem klucz, ale spotkaliśmy się znów w windzie. Jak tylko otworzyłem drzwi do pokoju, fotografik położył się w moim łóżku i zapalił cienką fajkę. A blondynka zaprowadziła mnie na taras, skąd widać było cały Budapeszt od krańca do krańca. Wstawał mglisty dzień i miasto było szare; to dziwne, bo wyobrażałem sobie, że Budapeszt jest miastem żółtym, tymczasem był szary, wszystko było szare – budynki, parki, a nawet Dunaj przecinający miasto niby litera igrek, rozdwojony w oddali. Blondynka chwyciła moją rękę, przyjrzała się jej, westchnęła, rysowała po niej paznokciem i znów wzdychała. Potem podniosła ją do piersi, żebym poczuł, jak mocno bije jej serce. I trzymając mnie za rękę, poprowadziła z powrotem do pokoju, gdzie fotografik siedział na rogu mojego łóżka ze spuszczoną głową, poruszając rytmicznie nadgarstkiem. Uznałem za nieprzyjemne, że facet onanizuje się w moim łóżku, jednak to nie było to, kręcił bębenkiem rewolweru, zwisającego między jego nogami. Wskazał mi krzesło stojące naprzeciwko, a blondynka usiadła na podłodze. Na nocnym stoliku leżało pięć naboi, które chował do jednej z kieszeni kamizelki, licząc od jednego do pięciu z bardzo staranną dykcją, unu, doi, trei, patru, cinci. Spojrzał na sufit, zagwizdał jakąś melodyjkę, naraz podniósł rewolwer do lewego ucha, jakby odbierał pilny telefon. Wykrzywił twarz, dziewczyna schowała głowę w ramionach, on nacisnął spust i usłyszeliśmy klik. Odchrząknął, położył broń na ziemi, zapadła długa cisza; w Budapeszcie nie było ptaków, żadnego koguta w oddali, żadnego psa, postanowiłem roześmiać się, mój śmiech zadźwięczał metalicznie. Blondynka chwyciła rękojeść, ona też była leworęczna, a prawą dłonią przeżegnała się szybko. Wsunęła lufę do ucha, rewolwer wydawał się ogromny w jej ręce, pomyślałem, że nie sięgnie palcem wskazującym do spustu, ale dosięgła. Jeszcze dłubała lufą w uchu, jakby starała się możliwie najgłębiej ją wpasować, żeby droga kuli była jak najkrótsza, nacisnęła, i nic, klik. Spojrzała mi między oczy, odrobinkę zezując, włożyła rewolwer do mojej dłoni, pierwszy raz w życiu trzymałem broń palną. Otworzyłem usta, blondynka puściła do mnie oko, przyłożyłem lufę do podniebienia, nie czułem strachu. Pociągnąłem spust i dopiero, kiedy usłyszałem klik, pojawił się strach, lufa zaczęła się tłuc o moje zęby, rękojeść przykleiła mi się do dłoni, ta zesztywniała, położyłem rewolwer na nocnym stoliku, ale nie byłem w stanie go wypuścić i dźwięczał na drewnianym blacie niby kastaniety. Wreszcie moja ręka rozluźniła się, zwiotczały mi mięśnie, poczułem zmęczenie po całej nocy, i jeszcze po nocy spędzonej w samolocie, i po poprzednich nocach spędzanych w łóżku z Vandą, kiedy dzieciak ciągle mnie kopał. Powieki mi opadły, poczułem ciężar wszystkich moich bezsennych nocy razem wziętych.

Nagle otwarłem oczy i znów zobaczyłem fotografika z rewolwerem w drżącej ręce; przez chwilę myślałem, że to nie jego ręka się trzęsie, tylko rewolwer jeszcze się nie uspokoił po moim drżeniu. Podniósł go do twarzy, znów opuścił, sprawdził, zagrzechotał i położył na dywanie, dla mnie to było najlepsze wyjście, skończyło się pijaństwo i czas wygłupów. Już miałem zamiar uścisnąć go, blondynkę pocałować w rękę i odprowadzić do drzwi, napełnić mu kieszenie buteleczkami z minibaru, kiedy zobaczyłem, że czubkiem stopy popchnął broń w moim kierunku. Pewnie odkrył, że nie mówię po węgiersku, bo z uporem powtarzał półkolisty ruch ręką. Chciał powiedzieć, że rosyjska ruletka zmieniła kierunek, przedtem szła zgodnie ze wskazówkami zegara, a teraz pójdzie odwrotnie, zaczynając ode mnie. Oszukiwał, wymyślał bezsensowne zasady, chciałem protestować, ale nawet nie potrafiłem po węgiersku powiedzieć nie. Blondynka przyszła mi z pomocą, wzięła rewolwer i próbowała z powrotem włożyć go w dłoń chłopaka, a ten wyzwał ją od krów. Powiedział krowa głoska za głoską, tam samo jak mówimy w językach romańskich od czasów Rzymu, i zrozumiałem, że ten błazen też nie mówi po węgiersku. Był Rumunem, nosił medalion z brązu na piersi, kolczyk w uchu i pierścień na każdym palcu, był rumuńskim Cyganem, i blondynka miała rację, mówiąc: jest mi niedobrze od tego twojego obrzydliwego widowiska; przynajmniej tak usłyszałem. I żeby mu zrobić na złość, skierowała broń do własnego czoła i pociągnęła za spust, bez mrugnięcia okiem. Nie było kuli, dobrze, Cygan nie miał wyjścia; chwycił rewolwer, wycelował w swoją skroń, i obliczyłem, że kiedy kula zmiażdży mu czaszkę, mózg rozpryśnie się na włosy blondynki i będzie ohydnie. Widok będzie wstrętny, ja jednak ciągle patrzyłem, widziałem, jak jego palec zgina się na spuście, usłyszałem zgrzyt metalu, i klik. Facet nie umarł, tylko rzucił mi rewolwer na kolana, wyszczerzył złote zęby do blondynki i oboje spojrzeli na mnie. W ten sposób stało się jasne, że za pomocą jakiejś sztuczki, jakimś cygańskim podstępem udało im się zostawić dla mnie ostatni nabój w bębenku. Od początku zasadzili się na moje pieniądze, obmyślili moją śmierć. Dla nich byłaby to śmierć bardzo wygodna, a dla mnie sromotna – turysta pod wpływem alkoholu popełnia samobójstwo w Budapeszcie. Wstałem i trzymając broń w górze, zacząłem się cofać, bo nie odwróciłbym się nigdy plecami do tej bandyckiej pary. Oboje wstali razem ze mną, osaczali mnie w pokoju, i kiedy po jednej stronie on pokazywał mięśnie, pięści, ostre pierścienie, po drugiej stronie wyraz jej twarzy stawał się coraz bardziej morderczy. Szła wyprostowana, z mocnymi szczękami, rozszerzonymi nozdrzami, okazując przewrotną arogancję niskich ludzi, i choć patrzyłem prosto to w jedną, to w drugą fizys, wcale się nie zatrzymali. Wtedy zacząłem się zastanawiać, czy to wszystko nie jest tylko zabawą, bo nikt nie naciera, chyba że na filmie, wprost na nabitą broń. I kiedy poczułem na piętach ścianę, wsunąłem sobie lufę do ust, co wzbudziło w nich respekt. Zatrzymali się w pół kroku, a ja zyskałem na czasie, znalazłem się w pozycji artysty. Przesunąłem rewolwer do ucha, potem do serca, do oka, najpierw jednego, potem drugiego, przesuwałem lufę, jakby była szminką, wreszcie włożyłem ją sobie znów do ust, zdecydowany skończyć tę zabawę. Położyłem palec na spuście, dziewczyna skuliła ramiona, on wykrzywił twarz, i wtedy poczułem dziwny smak. Na podniebieniu poczułem, że w broni jest ołów, jego smak docierał do mojego języka, jednak było już za późno, nie mogłem się zatrzymać. Pozostało mi niespiesznie przycisnąć spust z nadzieją, że kula wydostanie się powoli, i wtedy ktoś zastukał do drzwi. Następnie na korytarzu dał się słyszeć tumult, krzyki, trzaskanie drzwiami, ciężkie kroki. Cyganie zaczęli się wycofywać, co wykorzystałem i rzuciłem rewolwerem w przeciwną ścianę, żeby sprawdzić, czy wystrzeli od uderzenia. W tej samej chwili jednak usłyszeliśmy dudnienie dzwonów ponad głowami, zaczęły bić wszystkie dzwony w Budapeszcie. Otworzyłem drzwi, obok przebiegało stado Duńczyków w bermudach, dołączyłem do nich. Na siłę wepchnąłem się do zatłoczonej windy, na parterze natknąłem się na Cyganów, którzy pędem pokonywali ostatnie schody. Udałem, że ich nie rozpoznaję, i skierowałem się na podjazd przed hotelem, gdzie tłum Duńczyków zbierał się obok autobusu, a przewodnik rozdawał wszystkim foldery turystyczne. Byłem już jedną nogą w autobusie, kiedy zobaczyłem, że para oddala się od hotelu ulicą w górę, ona uwieszona na ramieniu mężczyzny, ledwie sięgając nogami ziemi.

Zrezygnowałem z wycieczki, wróciłem do pokoju, wyciągnąłem się na łóżku i otworzyłem folder, zawierający ilustrowany plan miasta, białe ulice na beżowym tle, ogrody w zielonkawych odcieniach i modry Dunaj. Na wschodnim brzegu Peszt, na zachodnim – Buda, gdzie hotel Plaza zaznaczony był czerwoną strzałką. Ulice nie miały nazw, a ta, przy której stał hotel, była długą prostą linią, zaczynającą się przy rzece i wychodzącą z planu. Posuwając się którąkolwiek z przecznic, znajdowałem się w odległości trzech palców od historycznego centrum Budy, o nieregularnej siatce ulic, poznaczonych innymi strzałkami, kółkami w różnych kolorach, krzyżykami oznaczającymi kościoły i gwiazdkami odsyłającymi do wyjaśnień po angielsku. Ja jednak nie szukałem żadnych wyjaśnień, starałem się spokojnie badać wzrokiem schemat miasta. Przez cały dzień badałem ulice i zaułki Budy, swobodnie spacerowałem po jej murach obronnych, mimo ścian dostawałem się do wnętrza średniowiecznego zamku. Nie nudziło mnie takie chodzenie po mapie zapewne dzięki przekonaniu, które miałem od zawsze, że sam jestem mapą człowieka. Porzuciłem tę rozrywkę dopiero po to, by przyjrzeć się mężczyznom przekrzykującym się w telewizji w trakcie debaty politycznej, którą choć padałem na nos, prześledziłem do końca, z wyłączonym dźwiękiem. Włączyłem telewizor i zaraz zlikwidowałem głos, bo słuchanie tak dziwnego języka zaczynało mi przeszkadzać. Pomyślałem, że przez sen mowa ta zaatakuje moją nadwerężoną głowę, bałem się, że po przebudzeniu nagle będę mówił w tym obcym języku. Wyobraziłem sobie, że nazajutrz wyjdę do obcego miasta i będę mówił językiem, który rozumieją wszyscy poza mną. Zrobiło się późno, wyłączyłem telewizor, włączyłem telewizor, puściłem głośniej, ściszyłem całkowicie, wyłączyłem i zapaliłem lampę, zażądałem poduszek, zamówiłem kanapki i patrząc, jak w dzienniku o trzeciej węgierska prezenterka otwiera i zamyka usta, przypomniałem sobie o Vandzie. Zadzwoniłem do hotelu Plaza w Londynie, sądząc, że ona podobnie jak ja leży w łóżku, je zimną kanapkę i ogląda wiadomości na BBC. Byłoby cudownie usłyszeć, jak opowiada głupstwa na temat ostatnich wydarzeń, bo jej angielski był niewiele lepszy niż mój węgierski. Nawet ucieszyłem się, kiedy jej nie zastałem, Vanda od razu wiedziałaby, że dzwonię bez powodu, tylko po to, żeby usłyszeć jej głos. Mimo to wkrótce zadzwoniłem jeszcze raz, na próżno, pewnie wyszła gdzieś z siostrą; zostawiłem telefonistce swoje nazwisko i numer, przez jakiś czas jeszcze myślałem o mojej żonie, przyszło mi do głowy, że nie usnę już nigdy w życiu, wziąłem środek nasenny. Obudziłem się w jasności dnia, kiedy dzwony biły na szóstą, z włączonym telewizorem nadającym dziennik, i upłynęła dobra chwila, zanim zrozumiałem, kim była niema prezenterka, jakby napakowana po brzegi naleśnikami, skąd się wzięło tyle wypchanych poduszek, nie potrafiłbym powiedzieć, czy spałem trzy godziny czy dwadzieścia siedem. Znów zadzwoniłem do Vandy, jeszcze nie wróciła do hotelu, co w pewnym sensie było błogosławieństwem; słysząc w moim głosie choćby cień niepewności, z pewnością drwiłaby: Budapeszt... a nie mówiłam?

Podszedłem do okna, przyjrzałem się miastu i wróciłem do łóżka, mógłbym spać aż do następnego dnia. Przypomniałem sobie jednak plan, poszukałem czerwonej strzałki hotelu, byłem o piędź od drugiego brzegu. Przez mnogość strzałek, krzyżyków, gwiazdek, żółtych kółek, niebieskich trójkątów zrozumiałem, że w Peszcie dzieje się więcej niż w Budzie. Tam znajdowały się najważniejsze hotele i restauracje, teatry, kina, butiki, domy handlowe i na pewnej intensywnie handlowej ulicy dostrzegłem serię zielonych samolocików, odpowiadających biurom linii lotniczych. W pewnym momencie będę musiał zarezerwować podróż powrotną, bo miałem bilet otwarty. Za niewielką dopłatą mógłbym z pewnością zmienić trasę, na przykład spędzić weekend w Londynie. Mógłbym odlecieć nawet tego wieczoru, jako że Budę znałem już na pamięć, a na Peszt został mi jeszcze cały dzień. Wyskoczyłem z łóżka, zszedłem po schodach, dzień był piękny, z autobusu przed hotelem wysypywali się Duńczycy. Doszedłem do Dunaju tak szybko, że spojrzałem na swoje stopy, by upewnić się, czy dotarłem tam pieszo, a nie tylko myślą. Patrzyłem przez kilka minut, jak płynie Dunaj, w kolorze zgniłozielonym, w rzeczywistości był dużo szerszy, niż wyglądał na mapie. Wiszącym mostem przeszedłem na drugą stronę krokiem joggingowym, znalazłem się na dużym placu z posągiem pośrodku, doceniłem pobieżnie urodę neoklasycznych fasad, balkonów art nouveau, bizantyjskich łuków, na trzecim rogu poczułem zapach tytoniu, czekolady, cebuli, skręciłem na prawo, minąłem sklep Kodaka i Benettona, C&A, przeszedłem skrótem przez oszkloną galerię, skręciłem na lewo, Lufthansa, American Airlines, Alitalia, biuro Air France było jeszcze zamknięte. Stanąłem przed wejściem, żeby sobie zapewnić pierwsze miejsce w kolejce, a ludzie za mną przechodzili, wypowiadając zdania bez ładu i składu. Czekałem i czekałem, zapadła noc, i wtedy zrozumiałem, że obudziłem się o szóstej wieczorem. Starałem się śledzić drogę, którą przeszedłem w odwrotnym kierunku, jednak zmyliły mnie światła barów, dyskotek, pizzerri, których nie było tam przedtem. Zaczął padać deszcz, mijały mnie zajęte taksówki, znalazłem otwartą księgarnię i wszedłem; jeśli jutro opuszczę ten kraj, nie potrafiąc sklecić razem dwóch zdań, zabiorę sobie na pamiątkę słownik. Podszedłem do półki wypełnionej grubymi tomami, przebiegłem wzrokiem po węgierskich tytułach na grzbietach i wydało mi się, że widzę bibliotekę bezsensowną, w kompletnym chaosie. Potem przyjrzałem się lepiej, wszystkie okładki stały równo, tylko litery były porozrzucane. Dlatego zwróciła moją uwagę książka najskromniejsza, z dającym się odczytać tytułem: *Hungarian in 100 Lessons*. Przerzucając kartki, dostrzegłem rozmówki: czy ten pociąg jedzie do Bułgarii? Moja żona jest wegetarianką. Jak wysoki jest ten stary obelisk? Chciałbym kupić tani świecznik. Gdzie mieszka ten żołnierz? Zauważyłem, że wysoka dziewczyna z plecakiem na ramieniu patrzy na książkę w mojej ręce i kiwa głową. Pomyślałem, że może to kontrolerka, bo pewnie w tym sklepie zabrania się klientom dotykać towaru. Szybko podałem jej książkę, którą ona chwyciła i zaraz rzuciła byle jak, na dno półki. Zrozumiałem, że szorstkość gestu jest charakterystyczna dla Hunów, podobnie jak nieco wystające kości policzkowe na jej twarzy i wargi, które uznałem za okrutne, pewnie dlatego że nie były wcale mięsiste. A kiedy stwierdziła, że języka węgierskiego nie da się nauczyć z książek, osłupiałem, bo zdanie to zabrzmiało dla mnie całkowicie zrozumiale. Zacząłem się zastanawiać, czy nie powiedziała tego zdania po portugalsku albo angielsku, czy też po rumuńsku, ale było całkiem po węgiersku, bo nie potrafiłem odróżnić ani jednego słowa. A mimo to nie miałem wątpliwości, powiedziała, że języka węgierskiego nie da się nauczyć z książek. Być może dziewczyna taki miała śpiewny sposób mówienia, że bez zrozumienia, słuchem złapałem sens. Może po samej intonacji zrozumiałem, co chciała powiedzieć. A może skoro słyszałem melodię, odgadnięcie słów wydało mi się proste. Czekałem więc na następne, ona jednak w jednej sekundzie pomknęła przed siebie jak strzała, jej głowa przesunęła się nad środkowymi półkami w księgarni. Wyszła, zatrzymała się pod markizą, żeby sprawdzić, czy przestało padać, i dopiero kiedy się z nią zrównałem, zauważyłem, że jest na wrotkach. Stanąłem obok niej, nie wiedząc, jak zwrócić na siebie uwagę, trafiłem przypadkiem na mapę w kieszeni, wyjąłem ją i mruknąłem: hotel Plaza. Wyrwała mi plan z ręki, i już myślałem, że wyrzuci go do kosza, bo Budapesztu też nie da się nauczyć z mapy. Ona jednak rozłożyła plan i szukała: Plaza... Plaza... Plaza... iô. I po drodze do hotelu miałem pierwszą, perypatetyczną lekcję węgierskiego, polegającą na wymienianiu nazw rzeczy, które wskazywałem: ulica, wrotki, kropla, kałuża, noc, pizzeria, dyskoteka, bar, galeria, witryna, ubranie, zdjęcie, róg, targ, cukierek, kiosk, łuk bizantyjski, balkon art nouveau, fasada neoklasyczna, posąg, plac, most wiszący, rzeka, zgniłozielony, zbocze, portiernia, hall, kawiarnia, woda mineralna i Kriska.

Kriska przez całą drogę mówiła, odgłos wrotek rozbrzmiewał na chodniku, światła neonów i latarń odbijały się na jej twarzy, kiedy jednak usiedliśmy w przytłumionym świetle hotelowej kawiarni, zapaliła papierosa i zamilkła. Jasne, było to miejsce tak puste i nagie, że kiedy obrzuciłem wzrokiem gładkie ściany, szklany stół, metalowe krzesło, kelnera ubranego na biało, butelkę, kieliszki, popielniczkę, zapalniczkę, płomień i papierosa marki Fecske, a fecske była to jaskółka wydrukowana na pudełku, zabrakło mi tematu, który można byłoby pociągnąć. Dobre pół godziny spędziliśmy w ten sposób, patrząc na popiół w popielniczce, bo ja nie miałem jak jej przekazać tych wszystkich myśli, które mi przebiegały przez głowę: moja żona w Londynie, dziewczyny na wrotkach na Ipanemie, wysoki śmiech mojego wspólnika, niebieskie oczy bez rzęs mojego klienta, mężczyzna piszący na kobietach, anonimowi pisarze w Istambule, dziewczyny na wrotkach na Ipanemie, moja żona w Londynie. Jednak równowaga pomiędzy dwiema osobami siedzącymi obok siebie, każda w swoim milczeniu, nie trwa długo; jedno milczenie wysysa drugie, odwróciłem się więc do niej, choć nie zwracała na mnie uwagi. Obserwowałem jej milczenie, z pewnością głębsze niż moje i w jakiś sposób bardziej milczące. I tak spędziliśmy następne pół godziny, ona wewnątrz siebie samej, a ja zanurzony w jej milczeniu, starałem się szybko odczytać jej myśli, zanim zmienią się w węgierskie słowa. Naraz cała zadrżała, jakby wstrząsnął nią dreszcz, strząsnęła plecak z ramion i wyjęła wizytówkę, którą pokreśliła ołówkiem i podała mi. Wstała i wyszła bez pożegnania, ślizgając się na wrotkach po dywanie. Chyba przywiązałem się do tego milczenia, po to żeby je przedłużyć, wycofałem się do mojego pokoju, gdzie spędziłem resztę nocy na patrzeniu w sufit. Czułem lekki głód, jednak nie zadzwoniłem do restauracji, pomyślałem chwilę o Vandzie, ale nie zadzwoniłem do Londynu. Przy odgłosach poranka – trzas-

kaniu drzwiami, spadających tacach, tłuczeniu szkła i roz-
mowach pokojówek na korytarzu – wreszcie zasnąłem.
I spałem przez dwanaście godzin bez przerwy, bo moje
myśli stały się teraz całkiem proste. Moje myśli skupiały się
na wizytówce leżącej na nocnej szafce, z wydrukowanym
nazwiskiem, Fülemüle Krisztina, i adresem, Tóth utca,
84,17, Újpest, i zanotowanymi godzinami lekcji, od 20.00
do 22.00, i ceną, 3000 forintów, która wydała mi się
całkiem rozsądna.

Dużo za wcześnie wsiadłem do taksówki, która zawioz-
ła mnie na ulicę Tóth 84 w dwadzieścia minut. Następne
czterdzieści minut spędziłem, stojąc przed elektrycznie
zamykanym wejściem, zanim przedstawiłem się przez domofon: José Costa. Był to jeden z identycznych domów na
osiedlu, Kriska czekała na mnie na progu pod numerem 17,
bez wrotek była właściwie niska i mniej dziewczęca. Powiedziała Zsoze Kósta... Zsoze Kósta... przyglądając mi się
od stóp do głów, jakby moje nazwisko było nieodpowied-
nim strojem. Pozwoliłem jej mówić Zsoze Kósta, aż się
przyzwyczaiłem, nie poprawiając wymowy, nie kpiłem
z Kriski, raczej przyznałem jej rację i dałem się poznać jako
Zsoze Kósta w Budapeszcie. Już wkrótce miała porzucić
słowo Zsoze i nazywać mnie Kósta, sądząc, że to moje imię,
bo w węgierskim imię występuje po nazwisku. Siebie kazała
nazywać Kriska, podobnie jak wszystkie węgierskie Krysty-
ny, po prostu Kriska i tyle. Myślę, że dość szybko zrezygno-
waliśmy z pewnych formalności, dlatego że przyszedłem na

początku nocy, zastając w nieładzie i ją, i jej dom. Później wiele razy, żeby zrobić na stole trochę miejsca do pracy, przesuwała na bok obrus i naczynia po dopiero co skończonej kolacji. Szybko też związywała włosy gumką na czubku głowy, kilka kosmyków wymykało jej się na czoło, a trochę okruchów zawsze zostawało na stole. Na dodatek czasami jej synek kręcił się po pokoju, przestawiał rzeczy, śmiał się ze mnie, nie dawał nam spokoju, dopóki Kriska nie posłała go do łóżka. Pisti dobrze się bawił, widząc, jak dorosły człowiek gapi się na kolorowe obrazki w książkach, staruszek uczy się mówić parasol, klatka, ucho, rower. Kérekport, kérekpart, kerékpár, Kriska kazała mi powtarzać tysiąc razy każde słowo, sylaba po sylabie, jednak moje starania, by ją naśladować, kończyły się wynikiem co najwyżej, mówiąc delikatnie, nie-węgierskim. I nie musiała tracić cierpliwości, gryźć się w język, rozlewać kawy, zapalać papierosa od strony filtra, miałem dość samokrytycyzmu; w pierwszych dniach byłem wręcz przekonany, że poza moim powrotem do palenia nie będzie innych rezultatów tych lekcji. Zajęcia wykańczały mnie, po dwóch godzinach pękała mi głowa, nie miałem jednak ochoty zaraz wracać do hotelu. Kriska też mnie nie poganiała, chowała podręczniki do plecaka i podawała mi kieliszek likieru morelowego, i zajmowała się domowymi pracami, jakby mnie w ogóle nie było albo jakbym był domownikiem, co w rezultacie na jedno wychodzi. Zanosiła talerze do kuchni, włączała zmywarkę, strzepywała obrus przez okno, krążyła po pokoju z przechyloną głową, przyciskając do ramienia słuchawkę telefonu. Napełniała mój kieliszek, nie patrząc na mnie, ściszała dźwięk, szła przykryć synka i wracała, śpiewając, zamykała żaluzje i śpiewała, poprawiała włosy i śpiewała. Podejrzewam, że przez cały czas pokazywała mi siebie, podobnie jak w kolorowych książkach pokazywała mi gwiazdy i konie, i patrząc, jak Kriska się rusza, wiele się uczyłem.

Przestawienie się na węgierski wymagało rezygnacji ze wszystkich innych języków. Poszedłem za namową Kriski, zostawiłem sobie tylko pół tuzina angielskich słów, bez których nie miałbym wypranej bielizny ani talerza zupy w moim hotelowym pokoju. Postanowiłem świadomie nie odbierać telefonu, który swoją drogą nigdy nie zadzwonił, i na dodatek wyrzekłem się radia i telewizji, bo lokalne programy, w opinii Kriski, pełne były zagranicznych naleciałości. W ten sposób po miesiącu w Budapeszcie kadencja słów węgierskich już brzmiała mi w uszach niemal znajomo, zawsze z akcentem na pierwszej sylabie, mniej więcej jak francuski na wspak. Miesiąc w Budapeszcie tak naprawdę oznaczał miesiąc z Kriską, bo unikałem chodzenia po mieście bez niej z obawy, że zgubię w rozgwarze miasta nić języka, która zaledwie w oddali majaczyła mi w jej głosie. Spędzałem całe dnie w pokoju, patrząc na budzik, wreszcie nastawała pora, kiedy wychodziłem do niej, pozwoliła mi przychodzić po siebie do pracy. I każdego dnia zjawiałem się o piątej pod drzwiami instytutu, gdzie wcale nie uczyła dzieci czytać i pisać, jak rozumiałem wcześniej z jej mimiki, ale gdzie mieścił się dom wariatów, w którym pacjentom opowiadała różne historie. Nosiła plecak na ramieniu, a jeśli dawała mi związane wrotki, żebym je sobie powiesił na szyi, znaczyło, że przespacerujemy się ulicami Pesztu i brzegiem Dunaju po drodze do jej domu. Następnego dnia z kolei wystrzelała na swoich wrotkach, a mnie wcale nie przeszkadzało biec trzy kilometry, żeby dogonić ją w szkole Pistiego. Jednak wraz z nadejściem jesieni częste deszcze sprawiły, że Kriska odstawiła wrotki. Wtedy w dni parzyste siadaliśmy w kawiarni, gdzie sprawdzała prace domowe i robiła mi sprawdziany, a w dni nieparzyste wsiadaliśmy do metra, odbieraliśmy Pistiego ze szkoły i jedliśmy kolację w domu. I jednego z tych właśnie dni, kiedy Kriska stała przyklejona do mojej piersi w zatłoczonym wagonie, choć o nic nie pytała, wpadło mi do głowy, żeby wymówić słowo szívem. Szívem znaczy moje serce, i mówiąc to, popatrzyłem jej w oczy, żeby sprawdzić, czy poprawnie je wymówiłem. Kriska jednak spojrzała w dół, na boki, w okno, na reklamy, tunel, jej wzrok umknął przed sprawą.

Pisti miał coś wspólnego z moim synem, choć był drobny i podobny do matki z kształtu podłużnej twarzy o wystających kościach policzkowych, wąskich ust, prostych i czarnych włosów, z rozkazującego tonu. Kiedy Kriska przygotowywała kolację, ciągnął mnie, żebym grał z nim w piłkę nożną na podwórku za domem, niemal w ciemnościach. Napierał na mnie jako bramkarza, wbijał całą serię rzutów karnych i doceniał, kiedy rzucałem się na kamienistą i mokrą glebę. Zdobywszy jego zaufanie, z twarzą opryskaną błotem, sądziłem, że mogę liczyć na pogawędkę. Piłka okrągła, mówiłem, albo wspaniały but, albo Kósta zmęczony, on jednak nie chciał współpracować, patrzył na mnie tępym wzrokiem. Takim samym jak wzrok kelnerki, portiera, personelu hotelowego, kiedy zacząłem odzywać się do nich po węgiersku. Tymczasem z każdym dniem coraz bardziej byłem dumny ze swoich umiejętności, i bez znaczenia było, że kiedy mówię, wszyscy Węgrzy patrzą na mnie tym rybim spojrzeniem. Jak na przykład człowiek siedzący obok mnie w metrze, kiedy z braku lepszego pomysłu powiedziałem: pachnący wagon. Tej niedzieli pierwszy raz sam jechałem metrem i z wrażenia wysiadłem na stacji Újpest-Városkapú, zamiast na następnej, tam gdzie mieszkała Kriska, Újpest-Központ. Kriska zaprosiła mnie na obiad, przygotowała spaghetti po bolońsku tylko dla nas dwojga; postanowiłem zadzwonić do niej z budki na ulicy. Dzwoniłem bez potrzeby, z czystego kabotynizmu, bo właśnie wymyśliłem całe zdanie, złożone z trzech słów: już przychodzę częściowo. Ona: jak powiedziałeś? Powtórzyłem zdanie. Ona, bez wyrazu: nie słyszę. Ja, krzycząc: już przychodzę częściowo! Ona, prosząco: jeszcze raz! A ja, idiota: już przychodzę częściowo. Ona, która raczej nie była chichotką, pękała ze śmiechu z powodu jednego, źle użytego przysłówka: jeszcze tylko raz! Tego dnia przyszedłem do niej z postanowieniem, że ureguluję zaległe rachunki i uznam za skończony cały ten cholerny kurs. A przed odejściem wygłoszę przemówienie po portugalsku, w odmianie brazylijskiej i najsoczystszej jak to możliwe, pełne słów akcentowanych na ostatniej sylabie z końcówkami na -ão, używać będę nazw amerykańskich drzew i afrykańskich potraw, które ją przerażą, będę mówił językiem, który ten cały jej węgierski wytnie do zera. Zrezygnowałem jednak, widząc wyraźną skruchę Kriski, która nie przeprosiła mnie tylko dlatego, że nie ma takiego słowa w węgierskim, czy raczej owszem jest, ale ona stara się go nie używać, ponieważ uważa, że jest zapożyczeniem z francuskiego. Forma potoczna wyrażania żalu za przewinienie w języku węgierskim wygląda tak: végtelenül büntess meg, czyli ukarz mnie nieskończenie, w niedoskonałym przekładzie. To właśnie mi powiedziała, wiedząc, że zrozumiem nie słowa, lecz szczerą emocję w nie włożoną. Dotknęła mojej twarzy czubkami palców, zamknęła oczy i szepnęła végtelenül büntess meg, zostawiając od razu rozchylone usta, a ja zrozumiałem w tym prośbę, żebym ją pocałował. Pocałowałem i jej wargi nie były tak twarde, jak się wydawało. Przy drugim pocałunku to ona już całowała mnie raczej niż ja ją, a po ustach nadstawiła do pocałunku kark, potem skurczyła się z łaskotek, wymknęła z moich ramion, uciekła. Znalazłem ją w półmroku sypialni, czekała na mnie, stojąc przy łóżku. Jednym ruchem zdjęła sukienkę przez głowę, i widok jej zupełnie nagiej oszołomił mnie całkowicie. Biała, biała, biała, mówiłem, piękna, piękna, piękna, i kiedy wyczerpało się moje słownictwo, znieruchomiałem. Bałem się, że w nagłym impulsie przyciągnę ją do piersi i zacznę mówić rzeczy, które potrafię powiedzieć tylko w moim rodzimym języku, napełnię jej uszy nieprzyzwoitymi słowami, może nawet afrykańskimi. I stała tak przede mną, nieruchoma jak i ja, może dlatego, że też bała się wypowiadać słowa, których jeszcze mnie nie nauczyła. W końcu odsunęła kołdrę, położyła się, wyciągnęła do mnie ręce i powiedziała: chodź. Zawahałem się przez chwilę, bo nie widziałem jej dokładnie w tym światłocieniu, a ona mówiła: chodź. Jej skóra była tak biała, że z trudem mogłem odróżnić kontury jej ciała od bieli lnianego prześcieradła, a ona mówiła: chodź. Położyłem się z Kriską, i żeby mocniej ją przytulić, przypomniałem sobie Vandę.

Poza Węgrami nie ma życia, mówi przysłowie, i dlatego Kriska nigdy, traktując je dosłownie, nie była ciekawa, kim jestem, co robię, skąd się wziąłem. Miasto o nazwie Rio de Janeiro, z tunelami, wiaduktami, dzielnicami domów z kartonu, twarzami jego mieszkańców, językiem tam używanym, sępami i lotniami, kolorami ubrań i zapachem morskiej wody, to wszystko było dla niej niczym, tworzywem moich snów. W środku lekcji zdarzało mi się pomyśleć o, powiedzmy, skale Pão de Açúcar albo łysym dzieciaku palącym miejscowe konopie, czy też o Vandzie wracającej z podróży, Vandzie pytającej o mnie, Vandzie zawiniętej w biały ręcznik, i kiedy Kriska przyłapywała mnie w chwili nieuwagi, klaskała w dłonie i mówiła: wracaj, Kósta, do rzeczywistości. A nasza rzeczywistość, poza codziennymi lekcjami, to był Budapeszt w co drugi weekend, kiedy Pistim opiekował się jego ojciec. Byłego męża, z którym komunikowała się jedynie za pośrednictwem syna, zostawianego w szkole przez jedno, a odbieranego przez drugie, mógłbym uważać za nieistniejącego, za czystą halucynację Kriski. Rzeczywistością były spacery po Wyspie Małgorzaty, z jej niedzielnymi atrakcjami, wyścigami na Dunaju, gonitwami baranów, słoweńskimi marionetkami, chórem brzuchomówców. Rzeczywistością były wieczorne spotkania w Klubie Literatury Pięknej, wirujący parkiet taneczny na Wieży Attyli, wczesne poranki w Óbudzie, starej Budzie, słomiane kioski, gdzie jedliśmy surową pizzę. I butelka wina z Tokaju, którą zabraliśmy do domu i wypiliśmy, słuchając węgierskich operetek. I rozdzierająca ballada córki Sinobrodego, której mnie Kriska nauczyła, i doprowadzałem ją do łez, gdy śpiewałem *a capella*, udając węgierski baryton. I naga Kriska, wyciągająca do mnie ręce z prośbą, żebym ją ukarał, i potem Kriska w ekstazie, w poprzek łóżka, na czarnym jedwabnym prześcieradle, które jej podarowałem, zmiętym pod jej nieprzytomnym ciałem, z pieczęcią moich zębów na ramieniu. I chrapiąca Kriska, i moje budzenie jej i błaganie, żeby coś powiedziała, co takiego? Cokolwiek. Cokolwiek, czyli co? Czyli na przykład policz do dziesięciu. Egy... kettő... három... négy... mimo całej dobrej woli nigdy nie docierała do pięciu, zasypiała szybko i głęboko. Wtedy wstawałem; nigdy mi nie powiedziała, żebym spał u niej. Zbierałem ubranie z podłogi i starałem się na nią nie patrzeć, bo Kriska niema i nieruchoma, w pozycji płodowej, nie była rzeczywistością, jej ciało było zbyt doskonałe, zbyt gładkie, o tajemnej teksturze. Kiedy wychodziłem, nie jeździły już taksówki ani metro, zbliżała się zima, więc nawet ludzi na ulicy było coraz mniej. Szedłem pieszo jakieś pół godziny do centrum Pesztu, myśląc o tym, że chętnie bym się napił czegoś ciepłego, ale nie napotykałem żadnego otwartego baru. Miałem jeszcze przed sobą pół godziny drogi pod ciężkim niebem, i czasem pochylałem się ponad poręczą mostu i patrzyłem na Dunaj, czarny, milczący. Dobrą chwilę zajmowało mi przekonanie się, czy woda płynie, a jeden albo drugi samochód zatrzymywał się w pobliżu, czekając, czy rzucę się z mostu, czy nie. Ale prawdziwa zima przyszła nagle, z dnia na dzień, i tego wieczoru Kriska uparła się, żeby mi pożyczyć czapkę i płaszcz o zapachu kamfory. Były to ostatnie ślady obecności mężczyzny o dużej głowie, ale tułowiu mniejszym od mojego. Gruby wełniany płaszcz pił mnie pod pachami i nie pozwalał opuścić rąk. Chodziłem więc po ulicach krokiem podobnym do małpy; mogłem przejść całe miasto, nie spotykając żywego ducha. Wiały wilgotne wiatry i nawet w czapce naciągniętej na uszy nie byłem w stanie zatrzymywać się na moście i patrzeć na rzekę. Przyspieszałem kroku, żeby jak najszybciej dotrzeć do hotelu, i nierzadko przeskakiwałem przez ladę, bo nocny portier zazwyczaj spał podczas służby. Zamykałem się w pokoju; centralne ogrzewanie sprawiało, że paliło mnie gardło, woda mineralna z minibaru nie wystarczała, pokojówka nie odbierała telefonu, papierosy kończyły się. Wełniany koc gryzł mnie, drapałem się, drapałem, wbijałem całe paznokcie w ciało, nie mogłem się powstrzymać, czułem się, jakbym miał cukier wszędzie pod skórą. Jednego z tych poranków właściwie niechcący zadzwoniłem do Rio: cześć, tu Vanda, w tej chwili nie mogę odebrać telefonu, zostaw wiadomość po sygnale. Zaraz wykręciłem numer po raz drugi, bo Vanda nie zostawiłaby dziecka samego w nocy: cześć, tu Vanda, w tej chwili nie mogę odebrać... Wykręcałem numer raz za razem, wreszcie zrozumiałem, że dzwoniłem dla przyjemności słuchania mojego rodzimego języka: cześć, tu Vanda... Przyszła mi naraz ochota, żeby zostawić wiadomość po sygnale, bo od trzech miesięcy, a może czterech czy więcej, nie mówiłem ani słowa w swoim języku: cześć, tu José. W połączeniu słychać było pogłos, tu José, i odniosłem wrażenie, że moje słowa nie mają związku z moimi ustami, Vanda, Vanda, Vanda, Vanda, Vanda. I zacząłem nadużywać tego efektu, powiedziałem Pão de Açúcar, Guanabara, bałagan, wypowiadałem przypadkowe słowa po to tylko, by usłyszeć je z powrotem.

Kriska nie przesadzała, kiedy radziła mi unikać używania innych języków podczas nauki węgierskiego. Po nocy, kiedy mówiłem we własnym języku i śniłem, że Kriska mówi po portugalsku, stwierdziłem, że do mówienia po węgiersku brakuje mi ustnika, jak muzykowi, który fałszywie dmie w swój instrument. Przez całe popołudnie próbowałem porozumieć się z urzędniczką w biurze linii lotniczych, która kazała mi literować każde słowo, choć sama mówiła przedziwnym węgierskim, z silnym francuskim akcentem. Kiedy dotarłem przed drzwi Instytutu, zapadł zmierzch i Kriski już nie było; nie spieszyłem się do niej, ale w końcu dotarłem. Kriska przyjęła mnie bardzo przejęta, powiedziała, że dzwoniła do hotelu, na policję, do szpitala i kostnicy. Chwyciłem jej lodowate dłonie i myślę, że wtedy odgadła to wszystko, co po drodze postanowiłem jej powiedzieć. Ułożyłem sobie w głowie szczery tekst o moich uczuciach do niej przed szybką informacją o wyjeździe. Miałem przelotnie wspomnieć o chorobie mojego syna, o leciwej przyjaciółce, czekających na mnie w moim odległym kraju pośród innych przykrych spraw, a to, co przypadkiem zabrzmiałoby nieprzekonująco w mojej przemowie, można by było złożyć na karb mało precyzyjnego słownictwa, złego przekładu myśli. Jednak kiedy patrzyłem w oczy Kriski, gdy jej dłonie wysuwały się z moich rąk, jedyne słowo z jej języka, jakie przyszło mi do głowy, to było żegnaj. Nie rozumiem, powiedziała Kriska, i powtórzyłem: viszontlátásra. Czułem suchość w ustach, moja wymowa była niepewna, a ona uśmiechała się niewesoło: jeszcze raz! Jeszcze raz!, a ja viszontlátásra!, viszontlátásra! Wreszcie Kriska zrozumiała mnie i zamilkła na kilka dobrych minut. I nagle zaczęła wymawiać mnóstwo trudnych słów, i nie wiem, czy mnie wyrzucała z pokoju, czy prosiła o łaskę, czy domagała się ciepłego napoju, czy oskarżała o to, że rzuciłem na nią urok, ukradłem jakiś przedmiot, może złoty zegarek, jaki zegarek? Masz przecież na ręce swój zegarek, broniłem się bezsilnie, wskazując na bransoletkę na jej nadgarstku, ale nie o to chodziło, Kriska wściekła z powodu mojego pożegnania, rozsierdziła się jeszcze bardziej przez moją ignorancję. Wtedy zrezygnowałem z używania języka węgierskiego, spuściłem głowę, opadły mi ramiona i ręce, a ona rzuciła się na mnie, przylgnęła do mnie, zacisnęła palce, jakby starała się wbić mi je w plecy, bo jestem człowiekiem okrutnym albo wspaniałym, albo przerażającym, bo marnuję najwspanialsze chwile jej życia. Pomyślałem, że może chodzi o seks, i przejechałem językiem za jej uchem. Odepchnęła mnie, odwróciła twarz i nagle zobaczyłem, że w miejscu oczu ma dwie czerwone plamy. Powoli podeszła do okna, włożyła palce między deszczułki żaluzji i pozostała tak, stojąc plecami do mnie i lekko drżąc. Zrobiłem kilka kroków po pokoju, poszedłem do sypialni, rzuciłem na łóżko płaszcz i czapkę byłego męża. Wszedłem do łazienki, do kuchni, zrobiłem kilka kroków po pokoju i przypomniałem sobie, że jestem jej winny za dwie lekcje, sześć tysięcy forintów. Zostawiłem pieniądze na stole, pod termosem, ale dziwnie to wyglądało, więc wziąłem je z powrotem. Otwarłem drzwi, padał śnieg, i zaraz wyszedłem.

Szalały zamiecie śnieżne

Start samolotu opóźniał się, w Europie szalały zamiecie śnieżne, wylądowałem w Kopenhadze, spóźniłem się na lot do Paryża, wysłano mnie do Buenos Aires, jednak ucieszyłem się, że do domu dotrę około północy. Dzieciak będzie już spał, nawet Vanda pewnie wkrótce pójdzie do łóżka. Może będzie popijała wino, zasuwała firanki, brała kąpiel lub będzie stała przed lustrem, szukając siwych włosów, najważniejsze dla mnie było to, że ją zaskoczę, ciekaw byłem, jakiego rodzaju niespodziankę jej sprawię. Przekręciłem klucz, w salonie stała świąteczna choinka, Vanda była w sypialni, w korytarzu usłyszałem jej głos: w lecie kobiety stają się odważniejsze, chcą pokazywać ciało... Zapewne otworzyłem gwałtownie drzwi, bo niania, siedząca w rogu łóżka, zerwała się na równe nogi. Chłopak jednak nie poruszył się, leżał, oparty o zagłówek, ze wzrokiem utkwionym w telewizor. Nie wiedziałem, że Vanda czyta teraz nocne wiadomości; w pierwszej chwili odniosłem wrażenie, że zmalała jej głowa. Potem stwierdziłem, że rozjaśniła włosy, rozprostowała fale, używa tuszu do rzęs, ma kolczyki w uszach, nosi koszulę z kołnierzykiem i męską marynarkę, z poduszkami na ramionach. Ledwo usiadłem przy dzieciaku, zakończyła wywiad z krawcem, zapowiedziała program rozrywkowy i życzyła nam dobrej nocy. Odwróciłem się do mojego syna, ale właśnie zasnął, półsiedząc, z plecami opartymi o poduszki. Przytuliłem go, spróbowałem dźwignąć, ale był za ciężki, niania zniknęła, a ja nie miałem dość siły, żeby zanieść go do pokoju. Nie mogłem nawet przesunąć go tak, żeby leżał, musiałem okrążyć łóżko i pociągnąć go za nogi. Zdjąłem buty, wełniane ubranie i położyłem się w slipach na maleńkiej przestrzeni, bo przez tę krótką chwilę chłopak zdążył położyć się w poprzek łóżka. Zapaliłem lampę, na nocnym stoliku Vandy leżało czasopismo poświęcone urządzaniu domu, w telewizorze dyskutowali młodzi ludzie z kolczykami i metalowymi kolcami w twarzy. Pod czasopismem znalazłem kawałek papieru z numerem telefonu zapisanym obcym pismem. W szufladzie leżały spinki do włosów, wsuwki, gumki, pilnik do paznokci, skuwka długopisu i puzderko z mlecznym zębem. Automatyczna sekretarka mrugała: cześć, tu José, Vanda, Vanda, Pão de Açúcar, Guanabara, bałagan... Zaczął się film o patrolu, jeden policjant był biały, a drugi czarny, nie potrafiłem jednak skupić się na fabule, bo kiedy tylko słyszałem hałas podjeżdżającego samochodu, biegłem do okna, żeby zobaczyć, czy to Vanda. W telewizorze zapiszczały opony, nagłe hamowanie, zwrot w poślizgu, strzały w powietrze wyrwały gwałtownie chłopca ze snu; zaczął przecierać oczy. W chwili kiedy wydał mi się trochę obudzony, przejechałem palcami po jego głowie i zapytałem: Joaquinku, gdzie mama? Nakrył głowę, zajęczał, z pewnością film zmieszał mu się ze snem, było to bardzo niepedagogiczne. Udało mi się odsunąć go nieco stopami, pociągnąłem poduszkę, którą trzymał pod pachą, położyłem się, zgasiłem lampę i telewizor. Chwilę później znów go włączyłem, bo od ciszy niewracającej Vandy wolałem strzelaninę i ryk silników. Ale już pojawił się program erotyczny, prezenterka z wielkimi piersiami, i kiedy na dole ktoś zaczął trąbić, rozpoznałem Vandę, zawsze zniecierpliwioną powolnością automatycznej bramy. Podszedłem zobaczyć, był to ciemny jeep wjeżdżający do garażu w naszym budynku. Wróciłem do łóżka i starałem się skupić na programie, żeby nie czekać na nią z płonącym wzrokiem, kiedy pojawi się w sypialni. Minął klip z trzema gołymi kobietami, jedna biała, jedna czarna i jedna Azjatka, które się obściskiwały, znów pojawiła się prezenterka z kaczką na ramionach, Vandy ciągle nie było w domu, szturchnąłem chłopaka, gdzie mama? Skończył się program, telewizja przestała nadawać, na ulicy całkiem ustał ruch, mimo to podszedłem do okna, usiadłem na parapecie, rozważając możliwość, że Vanda wróci pieszo. Patrzyłem w pustą ulicę, stał tam jednak człowiek z papierosem w ustach. Facet spoglądał od czasu do czasu na moje okno, zaniepokoiłem się, że on też może czekać na Vandę. Też zapaliłem papierosa, trochę po to, żeby oznaczyć własne terytorium, a on w odpowiedzi odpalił kolejnego papierosa od niedopałka poprzedniego, może chcąc mi udowodnić, że on czeka bardziej niż ja. Okazał się jednak nocnym strażnikiem osiedla, co stwierdziłem, kiedy zaczęło świtać, przypomniałem sobie o szkole dzieciaka i potrząsnąłem go za ramię. Kiedy otworzył oczy, zapytałem: gdzie mama? Gdzie mama? Zaczął głośno płakać, niewyraźnie marudził, niania weszła do sypialni, żeby go zabrać. Rozwaliłem się na środku małżeńskiego łoża, zaraz jednak zorientowałem się, że wcale nie zasnę. Znalazłem swój szlafrok tam, gdzie był zawsze, w kuchni chłopak jadł ciepłe placki, a niania wybuchała raz po raz śmiechem. Sprzątaczka śpiewała, kucharka pogwizdywała, kiedy pani śpi poza domem, służba harcuje. Kazałem zaprowadzić mojego syna do szkoły, podać mi na śniadanie omlet i świeże obrane owoce, choć zakupy nie były zrobione, a dzieciak miał w szkole ferie.

Zazgrzytała winda, kroki w korytarzu, w tej chwili było mi już wszystko jedno, czy to Vanda, czy nie. Kolejny zgrzyt, i cisza, cisza, cisza, otworzyłem drzwi, na wycieraczce leżały gazety. Moisés dementuje wiadomość o nadużyciach przy budowie gazociągu, głosił wielki tytuł, a na dole strony, literkami, których niemal nie mogłem odczytać, było napisane: według informacji przekazanych przez rzecznika prasowego... Poszedłem do sypialni po moje okulary do czytania, przeszukałem kieszenie ubrania z podróży i podręczny bagaż i nie znalazłem ich. Poprosiłem służącą, żeby sprawdziła bagaż, usiadłem w livingu i wziąłem do ręki magazyn z koszyka na prasę; był to tygodnik poświęcony modzie, który przekartkowałem, oglądając twarze i czytając tytuły: *Tkaniny na rękawy, Gorące plecy, Stopy w sandałach, Oko za oko, ząb za ząb.* Odłożyłem gazetę, chwilę patrzyłem z roztargnieniem na migające na choince światełka, wypaliłem papierosa, drugiego, trzeciego, miałem zamiar pojechać do biura, ale nie spieszyło mi się. Tak wcześnie rano nie będzie tam nikogo poza sprzątaczką, najwyżej sekretarka. Może wyjątkowo będzie Álvaro, jeśli to dzień zamknięcia bilansu. Ale wtedy nie można się z nim skontaktować, bo siedzi zamknięty z księgowym w gabinecie, sprawdzając wpływy i wydatki firmy, odpisy podatkowe, wypłaty gotówkowe, jego i moje udziały w zyskach. Myślę, że Álvaro, wypisując imienny czek deponowany na moim koncie, nawet jeśli go trochę zaniżał, czuł się przeze mnie oszukiwany. Leżąc na kanapie, sięgnąłem niezgrabnie do kosza z prasą, po omacku szukając kolejnego magazynu, natrafiłem na książkę w miękkiej okładce koloru musztardy. To niesamowite, że razem z prasą leżała książka, Vanda nie znosiła, kiedy rzeczy nie leżały na swoim miejscu. Jej ascendent znaku Panny, jak twierdziła, już dawno sprawiłby, że odstawiłaby książkę na półkę, między książki w okładkach

koloru musztardy. Wyciągnąłem rękę z książką, przymkną-
łem oczy, starając się odcyfrować znaki na okładce; oka-
zały się literami alfabetu gotyckiego, były tak czerwone,
że wyglądały jak kleksy, tytuł, jaki odczytałem, mógł być
jedynie złudzeniem, a nazwisko autora – wytworem mojej
wyobraźni. Wyszedłem na taras, wystawiłem okładkę na
słońce, przeczytałem, i jeszcze raz, tytuł był właśnie ten,
Kobietopisarz, autor, Kaspar Krabbe. To była moja książka. Ale to nie mogła być moja książka, nie mogła leżeć
w moim koszu na prasę, nigdy nie dawałem swoim klientom prywatnego adresu. Moje apokryfy trzymałem w biurze, zamknięte na klucz w szufladzie biurka, a tej książki
nawet nie widziałem po wydaniu. Mimo to miałem przed
sobą autobiograficzną powieść Niemca, z jego nazwiskiem na okładce i ze zdjęciem w pozie pisarza, z dłonią
na brodzie, na końcu. Zgiąłem książkę, kciukiem przytrzymałem przesuwające się stronice, jakby to była talia
kart, i w ułamku sekundy zobaczyłem, jak od końca do
początku przelatują tysiące nieczytelnych słów, przypominając widok pożaru w mrowisku. W końcu pojawiła
się pierwsza strona, naga, z wyraźną dedykacją, litery
były nieco drżące, ale staranne: dla Wandy, na pamiątkę
naszego tête-à-tête, zachwycony, K.K. Zachwycony, tête-
-à-tête, dla Wandy, nie rozumiałem tej dedykacji. Patrzyłem na książkę w mojej ręce i nie rozumiałem tej książki.
Patrzyłem na okładkę koloru musztardy, purpurowe go-
tyckie litery, patrzyłem na tył okładki i nie rozumiałem

łysego Niemca, zachwyconego, tête-à-tête, patrzyłem na kucharkę, która przyniosła śniadanie, nie rozumiałem tej kucharki, kciukiem otwierałem książkę jak wachlarz, i jak wachlarz książka się zamykała, pokazując mi ciągle tę samą białą stronę, dedykację, dla Wandy, na pamiątkę, zachwycony, K.K., tête-à-tête, starannymi literami, nie rozumiałem tego dzwonka w mojej głowie, a był to telefon dzwoniący w kuchni. Odebrałem go, ale niania już wcześniej podniosła słuchawkę i podała ją dziecku; mamusia... mamusia... mamusia, powtarzał w kółko, i nie mówił nic więcej. Wziąłem telefon i usłyszałem Vandę: a kto śpiewa były sobie kotki dwa mojemu Joaquinkowi? Vanda, szepnąłem, gdzie ty jesteś? W moim hotelu. W jakim hotelu? Wycedziłem przez zęby, a wszystkie trzy służące patrzyły na mnie. Została przeniesiona do São Paulo, dlaczego do São Paulo? Bo dziennik nocny jest nadawany z São Paulo, i od poniedziałku do piątku Vanda jest na antenie ogólnokrajowej. To awans w karierze, powiedziała, tym bardziej że w Mieście Higieny wszyscy rozpoznawali ją na ulicy, miała tego dość. Poza tym, mówiła, bardzo lubi wielkomiejski natłok wydarzeń kulturalnych, zobaczyła już mnóstwo wystaw. Wieczorami chodzi do wspaniałych restauracji, popołudnia spędza w siłowni. Do tego trzy razy w tygodniu ma wizyty u foniatry, bo zaczęła cierpieć na zmęczenie strun głosowych. Myślała o wynajęciu jakiegoś mieszkania, ale mimo wszystko bezpieczniej czuje się w hotelu. Powiedziała też, że zażądała od dyrekcji hotelu wymiany materaca i wreszcie kręgosłup przestał sprawiać jej kłopoty, potem zapytała, jak było w Budapeszcie. Zająknąłem się, nie wiedząc, od czego zacząć, a ona wykorzystała ten moment, powiedziała, że przyleci pierwszym samolotem w sobotę rano, i poprosiła, żebym oddał słuchawkę dziecku. Usłyszałem jeszcze: i kto w tym roku przyniesie Joaquinkowi prezent pod choinkę? Pobiegłem do pokoju obok, żeby z drugiego aparatu zażądać wyjaśnień w sprawie książki. Podniosłem słuchawkę, usłyszałem, jak chłopiec mówi mamusia... mamusia... mamusia... a z drugiej strony docierał już sygnał zajętej linii, Vanda rozłączyła się. Dostałem od niani numer do jej hotelu, ale w pokoju nikt się nie zgłaszał.

Ka, er, a, be, be, e, przeliterowałem, podając notes służącej, która zrezygnowała z poszukiwania moich okularów. Niemiec odebrał telefon zaspanym głosem, a słysząc moje nazwisko, zamilkł. Powiedziałem znów halo, halo, mówi José Costa, a on milczał. Miałem nadzieję, że odpowie mi całkiem naturalnie: witam, co słychać, wszystko w porządku, tak pan zniknął, książka bardzo się podoba, zaraz, jeszcze dzisiaj wyślę panu egzemplarz, na razie. W ten sposób można byłoby się domyślić, że zadedykował któregoś dnia egzemplarz jakiejś Vandzie, nie podejrzewając, że ta Vanda jest moją żoną. Było całkiem prawdopodobne, że spotkał ją przypadkiem, tak samo jak ja, kiedy szła ulicą, trzymając się za ręce ze swoją siostrą bliźniaczką

Vanessą, pośród grupy młodych ludzi. Łatwo mógł się nią zachwycić, podobnie jak i ja zakochałem się na zabój, choć w wyniku świadomego wyboru, bo ani przez chwilę nie wahałem się między nią a tą drugą, która przecież była identyczna. Mógł był pójść za nimi, tak samo jak ja zrobiłem w tył zwrot i wszedłem do sali koncertowej, a tam stojąc obok nich, oglądałem jakiś koncert rockowy, śpiewałem po kolei wszystkie piosenki, choć żadnej nie znałem. Można było się spodziewać, że ją zagadnął, tak samo jak ja, kiedy przy wyjściu zaproponowałem odwiezienie do domu, a potem rzuciłem pomysł, żeby wpaść do jednego z barów w Lagoa, gdzie wypiliśmy piwo, a ja mówiłem o swoim doktoracie z literatury, znajomości obcych języków, powiedziałem, że po niemiecku żółw nazywa się ropucha z tarczą, a one dostały ataku śmiechu, kto wie, może się wcześniej napaliły. Potem Vanda zaczęła opowiadać jakieś historie, których nie pamiętam, choć mógłbym pamiętać z lektury ust, bo doskonale pamiętam jej usta, na które patrzyłem podobnie, jak Niemiec patrzyłby na kolor jej ramion, dekolt i jaśniejsze pasmo na piersiach, tak jak ja patrzyłem na sposób chodzenia Vandy, kiedy poszła do toalety z siostrą, i jak ja, patrząc wyłącznie na nią, uznałem za naturalne, że wróciła stamtąd sama. Nie mógłbym go krytykować, że po to, by zawieźć ją do swojego mieszkania, użył argumentów podobnych do tych, jakie zastosowałem ja, żeby zabrać ją do mojej kawalerki. Nie miałoby sensu, gdybym miał mu za złe, że zrobił to samo, co ja zrobiłbym na jego miejscu, jak proszenie, żeby najpierw zdjęła bieliznę, a dopiero potem sukienkę, i tym podobne. Odwożąc ją rano do domu, gdybym był na jego miejscu, ja też wyjąłbym ze skrytki w samochodzie egzemplarz *Kobietopisarza*, oparłbym pośród mroku panującego w samochodzie na jej udach i zadedykował dla Wandy, na pamiątkę naszego tête-à-tête, zachwycony, K.K., wiedząc nawet, że ona ograniczy się do przeczytania ostatniej strony, w windzie. I uzna, że jako książeczka cienka i miękka nie zasługuje na miejsce na półce, wrzuci ją do kosza z prasą. I zapomni o niej, tak samo jak o Niemcu, jak i on zapomni o niej, podobnie jak ona powoli zapomina o swoim mężu, który zapomina ją w Budapeszcie, i to wszystko. Pozostawałoby mi teraz powiedzieć Niemcowi: wszystko w porządku, doskonale, podróżowałem, a co z naszą książką, umieram z niecierpliwości, żeby ją zobaczyć, okej, pozdrawiam, cześć. Ale nie, po długiej przerwie odezwał się: czego pan chce ode mnie? A rozdrażniony głos był znakiem, że traci rezon. Poczucie, że Niemiec nie panuje nad sobą, nastroiło mnie do brutalności: musimy zaraz się spotkać. A on na to: czy ten telefon ma być groźbą? Czekam na ciebie w domu, powiedziałem, i żeby wszystko było jasne, dodałem: na pewno wiesz, gdzie mieszkam. I miałem trzasnąć słuchawką, ale był szybszy, wcześniej się rozłączył.

Wziąłem gorącą kąpiel pod prysznicem, ogoliłem się, powoli stawało się dla mnie jasne, że Niemiec musiał szukać mnie w biurze, żeby mi podarować swoją książkę. Kiedy dowiedział się, że jestem za granicą, poprosił o mój adres Álvaro, który podał mu go bezmyślnie, mając głowę zajętą innymi sprawami. Zamiast wysłać mi egzemplarz, zapewne nie dowierzając naszym usługom pocztowym, postanowił osobiście przynieść go na miejsce; chciał mieć pewność, że książka dotrze do rąk wspaniałomyślnego człowieka, którego wielkie pisarstwo jemu przypisało słowa i myśli, jakich jego umysł sam nigdy by nie stworzył. Chciał zostawić książkę osobistemu sekretarzowi lub krewnemu, może małżonce, jeśli człowiek ten jest żonaty, komuś zaufanemu, kto po jego powrocie z podróży powie mu po prostu: przyszedł tu łysy cudzoziemiec, zostawił to i odszedł. Przed wyjściem napisałby kilka słów na wizytówce albo złożył krótką dedykację wyrażającą całą jego wdzięczność, nie odsłaniając jednak tajemnicy zawodowej. Kiedy przyjęła go kobieta około trzydziestki, w białej plisowanej spódnicy i bluzce bez rękawów, rudowłosa, czarnooka, o opalonych ramionach i nogach, w salonie oświetlonym zachodzącym słońcem, poczuł nagłą chęć zemsty na wspaniałomyślnym człowieku. Przedstawił się: Kaspar Krabbe, zapewne pani o mnie słyszała, nie tyle z powodu licznych książek, jakie wydałem w Niemczech, ale za sprawą mojej przyjaźni z pani nieobecnym mężem José. Tu twarz kobiety pobladła, oczy straciły blask, cera poszarzała, cień zasnuł całą jej postać; w świetle zachodu pojawiła się na tarasie druga kobieta, podobna do poprzedniej jak dama z tej samej talii kart, jednak z wyższego koloru. To właśnie bez wątpienia była żona José Costy, weszła, poprosiła, żeby usiadł, powiedziała, że zna jego nazwisko, nie z ust dyskretnego męża, lecz z prasy literackiej. Zaproponowała drinka, poprosił tę drugą kobietę, żeby przyniosła lód, bardzo żałowała, że nie może czytać jego prozy w oryginale. Przeszła obok, w spódnicy tenisistki, otworzyła szafkę w kącie salonu, wyjęła butelkę drogiej whisky. Esencja stylu zawsze rozmywa się w najlepszych nawet przekładach, powiedziała śpiewnym głosem w chwili, kiedy ta druga przyszła z kubełkiem lodu. I dodała: jeśli idzie o niemiecki, Vanessa i ja wiemy tylko, że nazwa żółwia oznacza jaszczurkę z tarczą. Nic nie szkodzi, powiedział Kaspar Krabbe i wyjął z koperty *Kobietopisarza*, swoje pierwsze dzieło w języku portugalskim. Chciałbym tę książkę podarować pani Costa, jak to bywa w zwyczaju mieszkańców Hamburga, poprosić o ocenę choć niewielkiego fragmentu, tak jak daje się do spróbowania kilka łyków wina. Wstał i przeczytał nie więcej niż dwie strony wstępu i kiedy wspomniał, że chciałby się pożegnać, u-słyszał z ust małżonki Josego: proszę nie odchodzić, chcemy słuchać dalej. Ciągnął więc dalej lekturę, ciesząc się własnym głosem, dobrze brzmiał nawet lekki obcy akcent, ponieważ José Costa, dzięki swemu tajemnemu kunsztowi, zdołał w tekście zaznaczyć lekki obcy akcent. Zapadał zmrok, nikomu nie przyszło do głowy zapalić światło, a Kaspar Krabbe świetnie czuł się w półmroku, wiedział, że teraz zaciera się widok jego niemal żałosnej twarzy, głowy podobnej jak u kukiełki, a wkrótce będą widoczne zaledwie jasne oczy, zawieszone w salonie na wysokości metr dziewięćdziesiąt od ziemi. Oczy, lśniące, kiedy wymawia imiona kobiet, przez które w całej historii cierpiał i przeżywał rozkosze, a wszystkie były rudowłose, czarnookie, wszystkie miały równo opaloną skórę na twarzach, ramionach i nogach, poza fragmentami zasłoniętymi przez majteczki i drobnymi piersiami w piaskowym kolorze. Nie widząc już tekstu, Kaspar Krabbe deklamował go swobodnie z pamięci, i na moment, zanim zapadła całkowita ciemność, dostrzegł rozchylone wargi żony Josego, łzę w kąciku lewego oka, szklankę z lodem w prawej dłoni, podwinięte nogi na kanapie zajęły miejsce drugiej kobiety, która, jak stwierdził, odeszła, usłyszał jej kroki na dywanie i cichy trzask zamykanych drzwi. I występ Kaspara Krabbe trwał dalej, pośliniony palec przewracał strony i przebiegał je, jakby dotykiem odnajdował każdy akapit, zdanie, przecinek, i przy każdym przecinku słychać było przyspieszony oddech małżonki Josego; choć była żoną Josego, najwyraźniej była kobietą samotną i opuszczoną i już widziała siebie przy końcu lektury w jego ramionach, Kaspar Krabbe przyspieszył więc rytm. Vanda rzeczywiście gotowa była oddać się Niemcowi, wolałbym więc nie wyobrażać sobie dalszego ciągu. Choć cała scena, którą widziałem, była ciemna, czułem wyraźną przyjemność, słuchając oddechu Vandy, chciałem cieszyć się brzmieniem moich słów, przez chwilę rzeczywiście marzyłem o tym, żeby Vanda uległa ich magii. Wtedy Kaspar Krabbe powiedział: i ukochana kobieta, której mleko już piłem, napoiła mnie wodą, w której wyprała swą bluzkę. I zamknął książkę. Milczał, świadomy, że choćby jedno słowo więcej z jego nieokrzesanej głowy mogłoby zmrozić żonę Josego, podobnie jak być może wzbudziłby w niej obrzydzenie dotyk jego śliskiej skóry. Opętany Kaspar Krabbe w ubraniu rzucił się na kobietę, wcisnął ją w narożnik kanapy i w ten sposób ją wziął. Podczas aktu wykrzykiwał słowa gotykiem, potem zapytał, jak właściwie ma na imię, poszukał po omacku marynarki, wyjął z kieszeni pióro i wypisał dedykację wielkimi literami, tak jak piszą ślepcy. I imię Vandy napisał przez W, na dowód, że przez jedną noc była Wandą, kobietą Niemca; zanim zatrzasnął za sobą drzwi, miał wrażenie, że w głębi mieszkania usłyszał płacz dziecka. Vanda zaś nie usłyszała dziecka ani drzwi, rzuciła książkę do kosza z prasą i zasnęła. I tam książka została, żebym ją znalazł, wziął do ręki, zgiął, przerzucił jej strony, jakby to była talia kart, przeczytał dedykację i zrozumiał, jeśli kiedykolwiek miałbym wrócić z Budapesztu, że przez jedną noc moja żona Vanda należała do prawdziwego pisarza.

Użyłem szamponu Vandy, jej odżywki i pianki zwiększającej objętość włosów, wytarłem się jej ręcznikiem. Wybrałem sportowy strój i tenisówki z amortyzatorami w podeszwach, dzięki którym byłem niemal wzrostu Niemca. Kiedy strażnik zawiadomił przez domofon, że pewien pan wjeżdża do naszego mieszkania, stanąłem pośrodku salonu; szczerze mówiąc, nie wierzyłem, że zareaguje na mój telefon, a teraz nagle nie wiedziałem, co mam zrobić: żądać satysfakcji, spoliczkować go rękawiczką, wyzwać Kaspara Krabbe na pojedynek? Zadźwięczał dzwonek, powlokłem się noga za nogą do drzwi, spojrzałem przez judasza i widok kartoflowatego nosa Álvaro sprawił mi wielką radość. Otworzyłem drzwi, uściskałem go serdecznie, on jednak, po całych miesiącach rozstania, pozdrowił mnie w ten sposób: dałem słowo, stary, zapewniłem go, że nie będziesz robił głupot. Dowiedział się o moim powrocie od Niemca, który najwyraźniej opowiedział mu też ze szczegółami przygodę z moją żoną. I stać było Álvaro na bezczelność, żeby przyjść do mojego domu i brać stronę łajdaka. Przyszedł powiedzieć mi tym swoim cienkim głosikiem, że skandal zszarga również moją reputację, że powinienem myśleć o hańbie Vandy, skazie na nazwisku mojego syna, mówił o dyskrecji. Gdyby to była kwestia pieniędzy, powiedział, można by było dojść do porozumienia, choćby z tego powodu, że podpisałem kontrakt pro forma, na usługę jednostkową, bez celów handlowych. Powieść autobiograficzna Niemca byłaby kolejną książczyną w mojej szufladzie, gdyby Álvaro nie zadziałał jak agent literacki i nie podjął strategii marketingowej, by zoptymalizować wartość rynkową produktu, użył dokładnie tych słów. Biorąc pod uwagę kolejne wznowienia książki, perspektywy sprzedaży praw za granicę i ewentualną adaptację filmową, powinienem dostać trochę kasy ekstra. Kaspar Krabbe nie przywiązywał do pieniędzy zbytniego znaczenia, według Álvaro, i naprawdę nawet nie chciał uznać tego sukcesu, który pojawił się znienacka, ni stąd, ni zowąd. Kiedy go jednak w końcu zaakceptował, stał się bardzo zachłanny, zaczął drżeć ze strachu, że sukces zniknie któregoś dnia, nie chciał się nim dzielić nawet ze mną. Każdego ranka kupował całą prasę, jeszcze w kiosku skrupulatnie przeglądał wszystkie gazety, szukając na stronach kulturalnych mojego artykułu, wśród korespondencji od czytelników – mojego listu, pośród ogłoszeń – płatnego komunikatu domagającego się uznania prawdziwego autorstwa *Kobietopisarza*. Podczas spotkań z czytelnikami, w radiowych wywiadach i telewizyjnych talk-show, nawet w całkiem nieformalnej rozmowie z Vandą, w wieczornym dzienniku, był straszliwie spięty, rozglądał się na boki, wyobrażał sobie, że nagle się pojawię i go zdemaskuję. Miał więc dość powodów, by wpaść w panikę po moim telefonie, całkowicie niespodziewanym, tak wcześnie rano, i nie uspokajały go nawet zapewnienia Álvaro, że nie zrobię żadnego głupstwa. Powinienem dać ostateczny dowód Kasparowi Krabbe, powiedział Álvaro, że nie zrujnuję mu uczciwego życia, a tym bardziej świetnego interesu, w zamian za sławę, której przecież nigdy nie pragnąłem. Powinienem dać dowód, że nadal jestem starym José Costą, zazdrosnym o swoje nazwisko do tego stopnia, że za nic w świecie nie dałbym się wyrwać z anonimowości.

Kiedy jechaliśmy do biura, w samochodzie Álvaro były zamknięte szyby i pachniało tą samą wodą kolońską, co w naszych studenckich czasach, kiedy odwoził mnie do domu mojego ojca. Mieszkałem wtedy na przedmieściu, ale benzyna wychodziła Álvaro nawet dość tanio, biorąc pod uwagę, że za wypracowania, które pisałem pod jego nazwiskiem, dostawałem stopnie lepsze niż za swoje własne. Czterdzieści cztery kilometry dziennie, siedząc ramię w ramię, to wystarczająca przestrzeń, żebyśmy mogli poznać się i kątem oka podziwiać, wymieniać zwierzenia, wyrażać różnice poglądów, a nawet wrzeszcząc, kłócić się. Jednak jakiś instynkt zawsze nas powstrzymywał, zanim doszło do wzajemnego upokarzania czy nadmiernej szczerości. Z krztyną wstydu i odrobiną ocalonej nienawiści nasza przyjaźń się ugruntowała, bo w przeciwieństwie do miłości, która w każdej chwili łamie i przekracza wszystko, przyjaźń potrzebuje pewnych zapór. Dlatego Álvaro na przykład nigdy nie starał się dowiedzieć, z czego żył mój ojciec albo jak umarła moja matka, a ja nigdy go nie spytałem, dlaczego do cholery tak się oblewa tą swoją wodą kolońską. A teraz mimo lekkich mdłości czułem się komfortowo w jego samochodzie, spełnienie jego prośby miało lekko nostalgiczny posmak. Wydawało mi się, że w naszym meczu znów jest

95

remis, bo kiedy wspomniałem o zawodowym spotkaniu Vandy z Niemcem, Álvaro starał się ją oczyścić z moich brudnych podejrzeń, jakby odpowiadając na moją niewypowiedzianą prośbę. Myślę, że jednak czuł się moim dłużnikiem, bo nagle poinformował mnie, że chce przywrócić pierwotne warunki naszej spółki, tak byśmy w równych częściach dzielili się zarządzaniem i zyskami spółki Cunha & Costa. Álvaro był miły, spytał, czy nie przeszkadza mi klimatyzacja, był zachwycony, że palę w samochodzie, włączył CD z muzyką klasyczną. Przepuścił mnie, wchodząc do windy, otworzył drzwi do biura i już z korytarza mogłem z przyjemnością zobaczyć, że mój pokój pozostał nietknięty, nadal stały w nim słowniki i obrotowy fotel. Recepcjonistka nie siedziała na swoim miejscu, więc Álvaro wskazał mi swój gabinet w przeciwnym końcu biura. Zawsze czułem skrępowanie, przechodząc przez dawne miejsce pracy, zastawione meblami i pełne chłopaczków, których właściwie nie znałem. Tym razem jednak zobaczyłem jedynie jakiegoś piętnastolatka grającego w bilard na komputerze przy swoim biurku, szyby ubrudzone sadzą i osadem z morskiej soli, prawie nieprzezroczyste, i spojrzałem na Álvaro. Szybko przyznał, że postanowił obciąć koszty w firmie, dla poprawienia skuteczności, i zwrócił moją uwagę na ramki na ścianach z wycinkami z gazet, w których dostrzegłem tytuły i zdjęcia Kaspara Krabbe. Na kanapie w sali głównej, obok notariusza z czarną księgą przy piersi, oczekiwał mnie

Kaspar Krabbe z krwi i kości. Wstał, podszedł dwa kroki i wyciągnął do mnie rękę; był w zwykłej marynarce bez krawata, nadal poruszał się, lekko kołysząc ciałem, jakby właśnie zszedł z pokładu statku, pozornie był tym samym człowiekiem, co przed falą popularności, może trochę powolniejszym w ruchach. Notariusz, siedząc przy biurku Álvaro, otworzył księgę i głośno przeczytał oświadczenie, w którym José Costa stwierdzał wykonanie usługi polegającej na mechanicznym spisaniu, bez jakiegokolwiek autorskiego udziału, autobiograficznego utworu Kaspara Krabbe pod tytułem *Kobietopisarz*; podpisałem dokument, Álvaro podpisał jako pierwszy świadek, drugiego należało znaleźć. Zaraz potem poszedłem do mojego biurka i oddałem Kasparowi Krabbe, zgodnie z umową, dwadzieścia kaset z nagraniami jego głosu na stronach A i B, dwadzieścia godzin źle opowiedzianych, nienadających się do niczego historyjek. Odwdzięczył mi się, wręczając egzemplarz swojej, żeby nie powiedzieć mojej książki, który zaraz mi zadedykował, wielkimi i pewnymi literami: Dla Pana José Costy, to bezpretensjonalne opowiadanie, z serdecznościami, K.K. Dodał, że choć jego debiutancki utwór został ciepło przyjęty, daleki był jednak od zaspokojenia jego ambicji literackich. Czytając go z właściwym dystansem, znalazł w nim mnóstwo głupstw, przesady, powtórzeń, ograniczoną wyobraźnię w rysunku postaci kobiecych, czyli słabości, które zamierza przezwyciężyć w drugim tomie swoich wspomnień, nad którymi już pracuje. Niemiec mówił poważnie, patrząc mi w oczy, a na koniec oznajmił, że wkrótce zamierza podyktować mi swoją nową książkę.

Poza książkami rozłożonymi wzdłuż wystawy stos egzemplarzy wznosił się na ladzie. Ludzie wchodzili, brali do ręki egzemplarz i szli do kasy albo od razu przy kasie mówili: poproszę *Kobietopisarza*, jakby kupowali papierosy. Inni przychodzili, rozglądali się po półkach, oglądali ceny książek importowanych, podchodzili do stołu z nowościami wydawniczymi, a w końcu trafiali na stos leżący na ladzie; fantastycznie schodzi, mówił księgarz, do Bożego Narodzenia przekroczy sto tysięcy, i ten rodzaj rekomendacji był strzałem w dziesiątkę, kolejny *Kobietopisarz* zapakowany na prezent. Stojąc tak po południu na środku niewielkiej księgarni, straciłem rachubę klientów, którzy wychodzili z moją książką. Mijali mnie, nie patrząc na mnie, potykali się o mnie, nie podejrzewając nawet, kim jestem, a to napełniało mnie dumą, jakiej od dawna już nie czułem. Uznawszy, że przeszkadzam, księgarz naraz postanowił zapytać mnie: czym mogę służyć? Nic nie odpowiedziałem, tylko pokazałem mu mój egzemplarz *Kobietopisarza* otwarty na stronie tytułowej, z autografem, żeby zobaczył, że nie jestem złodziejem książek. I stałem tam, nadymając się, wychodząc na durnia, przeżuwając słowa pogardy, bo gdyby nie moja książka, to ten kram już dawno trzeba by było zamknąć. Ruszyłem się dopiero, kiedy przez okno wystawowe zobaczyłem

Vandę, w klapkach i słomkowym kapeluszu, idącą na plażę. Jasne, nie była to Vanda – kiedy zobaczyłem jej twarz, okazało się, że był to ktoś zupełnie inny, ale mogła być jej kuzynką, stwierdziłem to po podobieństwie sposobu, w jaki się poruszała. Bo nie ma na świecie dwóch kobiet o identycznym sposobie chodzenia, różnią się nawet modelki, gejsze i siostry bliźniaczki. Weźmy na przykład taką Kriskę – gdybym zobaczył, jak idzie tutaj po nadmorskim chodniku, z kilometrowej odległości rzuciłaby mi się w oczy. Ale Kriska to inna sprawa, jest Węgierką, a na całym wybrzeżu w Rio nie ma kobiet, które chodziłyby tak jak Węgierki. Na plaży w Ipanemie sama myśl od Krisce wydała mi się nie na miejscu, mimo to jednak trochę o niej myślałem. I zaśmiałem się do siebie, bo nim poznałem jej ciało, podejrzewałem, że coś z nią jest nie w porządku, tak bardzo jej ruchy różniły się od gestów Vandy. Inaczej podczas jazdy na wrotkach: na kółkach falowanie ciała jest neutralne i wszystkie kobiety na wrotkach są podobne. Czasem, kiedy chodziła po pokoju, dyktując mi na przykład ćwiczenia, prosiłem, żeby włożyła wrotki – w ten sposób mogłem lepiej ją podziwiać lub wspominać Vandę, mimo że nigdy nie jeździła na wrotkach. Kriska spełniała moją prośbę trochę zakłopotana, może myślała, że to jakieś zboczenie. Ale przyzwyczaiła się do jeżdżenia po domu na wrotkach, nawet przy synu, wreszcie musiałem ją poprosić, żeby przestała. Dopiero z czasem przywykłem do naturalnych ruchów Kriski, jednak nie do tego stopnia, żebym zapomniał Vandę, którą teraz rozpoznałem w jeszcze innej dziewczynie, daleko, na końcu plaży, tym razem jednak nie po sposobie chodzenia, ale po sposobie bycia, kiedy nieruchomo siedziała na ławce na wprost morza. Doskonale wiedziałem, że Vanda jest w São Paulo, ale pomyślałem, że może to Vanessa, która w ten sam sposób zakładała nogę na nogę, nieco na bok, jakby zajmowała miejsce dla drugiej osoby – może to odruch specyficzny dla bliźniaków. Jasne, że nie była to Vanessa, tylko jeszcze właściwie dziewczynka; dopiero kiedy zatrzymałem się za jej plecami, dostrzegłem w niej oznakę życia, niespieszne i delikatne unoszenie się ramion w rytm spokojnego oddechu. Nabierałem przekonania, że to joginka, kiedy przestraszył mnie gwałtowny ruch jej lewej ręki. Spojrzałem przez ramię, właśnie odwróciła stronę książki. Dopiero wtedy zauważyłem, że czyta, a to, co miała na podołku, przypominało moją książkę. Usiadłem na końcu ławki, nieopodal jej stóp i wyraźnie zobaczyłem musztardową okładkę *Kobietopisarza*, którego czytała zygzakowatymi ruchami wzroku. Otworzyłem swój egzemplarz i kątem oka śledziłem jej czytanie, widziałem wpółotwarte usta i aparat na zębach. Odwracała kartki z niecierpliwością, żeby nie stracić wątku opowieści albo kadencji moich zdań, była mniej więcej w połowie książki, kiedy zatrzymała wzrok na górze strony nieparzystej, potrząsnęła głową, jakby stanęła na jakimś słowie, przestraszyłem się, że skończy czytanie. I rzeczywiście zamknęła książkę, zaznaczając stronę patykiem z loda, włożyła ją do płóciennej torby i kiedy rozprostowywała nogi, lekko mnie popchnęła, po czym przeprosiła, bo wcześniej mnie nie dostrzegła. Wskazałem musztardową okładkę w moich rękach, co za zbieg okoliczności, potem otwarłem na stronie tytułowej z dedykacją, powiedziałem, że autor jest moim przyjacielem, ale dziewczyna już sobie poszła. Rozejrzałem się wokół, plaża pustoszała, jacyś ludzie pili piwo przy kioskach, słońce zachodziło za wzgórze Dois Irmãos.

Był kiedyś taki czas, że gdybym miał wybierać między dwoma rodzajami ślepoty, wybrałbym niewidzenie piękna morza, gór, zachodu słońca w Rio de Janeiro, żeby zachować wzrok do czytania tego wszystkiego, co piękne w czarnych literach na białym tle. Kiedy byłem w kinie, nie potrafiłem oderwać wzroku od napisów, chociaż na ekranie pojawiały się piękne kobiety, a rozmowy prowadzono w znanym mi języku. Teraz jednak, nawet gdybym znalazł okulary do czytania, nie miałem ochoty otwierać własnej książki, której treść słabo sobie przypominałem. Ani chwytać gazety leżącej przy łóżku, ani dotykać tomów zgromadzonych na szafce nocnej, nawet gdybym był zdrowy i przytomny, a nie cierpiał na bezsenność od powrotu z Budapesztu. Jeśli przed trzydziestką już miałem zmęczony wzrok, nic dziwnego, że po czterdziestce mam umysł nasycony słowem pisanym. Być może po tym wszystkim został mi już tylko dobry słuch i w poszukiwaniu najdźwięczniejszych słów skakałem do późna w nocy po telewizyjnych kanałach. Może uda mi się znaleźć program literacki, rozmowę na temat mojej książki, może jakaś piękna aktorka będzie recytowała moje frazy. Słyszałem jednak tylko fragmenty seriali, programów rozrywkowych, muzycznych, komediowych, w końcu zatrzymałem się na filmie gangsterskim, czekając na wiadomości Vandy. Sen zaczynał już mnie pokonywać, widziałem na ekranie postaci, ale mój umysł oddalał się od nich, i czułem się trochę tak, jakby słowa dubbingu nie pasowały do ruchu ust aktorów. I kiedy zobaczyłem, jak Vanda rozpoczyna wiadomości, już przysypiałem, miałem kłopot, żeby otworzyć oczy. A kiedy je otwarłem, oślepłem. Przetarłem oczy, wytrzeszczyłem je, byłem kompletnie ślepy. Próbowałem zachować spokój, gryzłem poduszkę, starałem się skoncentrować na głosie Vandy, skupić uwagę na jej słowach, ministerstwo, zimna wojna, gazociąg, ludobójstwo, tie break... Jej głos był spokojny, melodyjny, ukołysany nim powoli zaczynałem zasypiać, pogodzony z moją nową sytuacją; jutro zastanowię się, co zrobić, może kupię psa przewodnika, laskę. Tak czy inaczej jutro Vanda mi pomoże, bo z pewnością kiedy tylko dowie się o mojej ślepocie, poprosi w telewizji o wolne. Po szybkiej analizie nie wydało mi się specjalnie trudne, żeby do końca życia zostać ślepcem u boku Vandy. Będę chodził z nią na plażę, do szpitala, do biblioteki, do restauracji, pojadę do Londynu, za jej głosem z przyjemnością pójdę na koniec świata. Pozbawiony wzroku, wyraźniej będę czuł jej radość, kłamstwa, współczucie dla mnie, szeptanie do telefonu, wstyd, że jej mąż jest ślepy. Każdego wieczoru będzie mi czytała nową książkę, położy na moich powiekach kompresy, za co jeszcze bardziej będę ją kochał. Niekiedy będą to gorące okłady, to znów opatrunki nasączone sokiem z cytryny, czasem Vanda na wiele dni przestanie się odzywać, żebym błądził po omacku; zdarzy się i tak, że zacznie czytać tylko parzyste strony w książce, ja jednak na nic nie będę się skarżył, nawet na to, że Vanda się starzeje, że jej głos staje się coraz bardziej pomarszczony. Będę udawał, że nie zauważam, jak od czasu do czasu popłakuje w kącie, dlatego że się starzeje albo dlatego, że zmarnowała życie na prowadzenie za rękę pasożyta. Być może nawet któregoś dnia okaże się, że aby się zemścić, leży przy mnie w łóżku, ale całkiem zimna, lodowata, jakby była posągiem z lodu, a nasz syn zacznie przeraźliwie krzyczeć na progu sypialni. Chłopak ryczał jak wariat w korytarzu, telewizor był ciągle włączony, a światło wpadające przez szpary w żaluzji raziło mnie w oczy. Kiedy zobaczyłem na budziku, że jest dziewiąta, wyskoczyłem z łóżka, zdecydowany, że zrobię Vandzie niespodziankę. Dotrę do São Paulo w porze obiadowej, znajdę ją w jej hotelu, pójdziemy razem na wystawy, do siłowni, do telewizji, zabiorę ją na kolację do indyjskiej restauracji. Kiedy jednak spojrzałem w lustro, zobaczyłem bezkształtną twarz, zdeformowaną, o spuchniętych oczach, z takim wyglądem nawet mnie nie wpuszczą do samolotu. Choć goliłem się poprzedniego dnia, miałem już gęsty zarost, jakby trzydniowy, i wtedy zrozumiałem, że spałem przynajmniej trzydzieści godzin bez przerwy. Przypomniałem sobie krzyki chłopca, poszedłem do salonu, drzwi były otwarte, strażnik i taksówkarz wnosili góry pakunków, które układali pod świąteczną choinką. Usłyszałem śmiechy i zobaczyłem, że Vanda leży nad chłopcem na kanapie i pociera nosem o jego twarz. Miała mokre włosy, znów ciemne i skręcone, nigdy w życiu nie pragnąłem żadnej kobiety tak jak tej, a kiedy odwróciła się do mnie, upłynęła dobra chwila, zanim mnie rozpoznała.

Nie udało mi się nawet ogolić, bo Vanda praktycznie wyrzuciła mnie z domu. Wiedziała, że bywam agresywny i znała mój szczególny temperament; a ponieważ reporterzy i fotografowie zwykle bez żadnych skrupułów wdzierają się do domowego zacisza, ledwo mi pozwoliła włożyć bermudy i klapki i kazała zniknąć wyjściem dla służby, bo ekipa mająca przeprowadzić z nią wywiad już wjeżdżała windą dla gości. Zapaliłem papierosa przed domem i ruszyłem przed siebie. Gdybym poszedł całkiem prosto, wylądowałbym na plaży, ale skręciłem w prawo, i w prawo, i jeszcze raz w prawo, i znów w prawo, bo nie prowadziła mnie żadna myśl linearna. Moje myśli krążyły wokół Vandy, a ja okrążyłem wielokrotnie cały kwartał, aż wreszcie zobaczyłem, że samochód reporterów odjeżdża sprzed domu. W tym samym czasie z garażu wyjechał samochód, zatrąbił mi prosto w ucho, to była ona, na tylnym siedzeniu wiozła nianię i chłopca, ubranego w strój brazylijskiej reprezentacji. Wszedłem do domu, bo nie miałem ochoty iść na obiad do Vanessy ani nawet nie byłem zaproszony. Wolałem zrobić sobie kanapkę i czekać na Vandę, siedząc na tarasie i paląc papierosa. Paliłem aż do chwili, kiedy opróżniłem ostatnią paczkę papierosów Fecske, zmiąłem ją i stwierdziłem, że z braku węgierskich papierosów bez kłopotu rzucę palenie. Już to zrobiłem dwa lata wcześniej, gdy Vanda mnie przekonała, że Joaquinek staje się biernym palaczem, i nie pozwalała mi sztachnąć się nawet na tarasie. Zgniotłem pudełko fecske i zaraz tego pożałowałem; z Budapesztu przywiozłem właściwie tylko paczkę papierosów i to zapisane słowo: fecske. Tytoń się skończył, ale może mi się uda nie wyrzucić od razu z pamięci tego węgierskiego słowa. Rozłożyłem na udzie kartonik, wygładziłem, pomyślałem, żeby go włożyć do jakiegoś tomu wierszy, do którego Vanda nigdy nie zagląda, najlepiej po francusku, stojącego wysoko na półce. W ten sposób mógłbym przychodzić najpierw każdego ranka, żeby na nie popatrzeć, potem niecodziennie, potem tylko od czasu do czasu, przy specjalnych datach, aż wreszcie któregoś dnia słowo fecske, na żółtym papierze z rysunkiem jaskółki, nic już nie będzie mi mówiło. Naraz usłyszałem głos Vandy, znów zgniotłem pudełko i odruchowo rzuciłem je w dół, w ciemność. I wyszedłem do

Vandy, która razem z nianią ciągnęła śpiącego chłopca za rączki, uniosłem jego stopy i zanieśliśmy go w pozycji leżącej do łóżka. Matka zdjęła mu adidasy i szepnęła, żebym poszedł po prezenty pod choinkę. Wziąłem jakieś siedem paczek i ułożyłem je wokół łóżka, gdzie Vanda leżała z synkiem i śpiewała cicha noc, święta noc, choć brakowało jeszcze trzech nocy do Bożego Narodzenia. Poszedłem po następną część prezentów, a kiedy wróciłem, Vanda już nie śpiewała, tylko gładziła chłopca po główce. Gdy przyniosłem grę wideo i rower górski, zobaczyłem, że Vanda ma zamknięte oczy i leży zwinięta wokół syna. Poszedłem do naszej sypialni i położyłem się, miałem nadzieję, że Vanda obudzi się w niewygodnej pozycji i przyjdzie do mnie. Przyszła dopiero rano, na paluszkach, a ja pozwoliłem jej myśleć, że śpię. Poczułem ogromną przyjemność, widząc naturalność, z jaką Vanda zdjęła bluzkę, bez stanika pod spodem, potem rozpięła spódnicę i została w samych majteczkach, a ja stwierdziłem, że pobyt z dala od morza nie zmienił tonacji jej skóry. Myślałem, że szuka piżamy albo koszuli, ale zdjęła z wieszaka cienką suknię na ramiączkach i włożyła ją przez nogi. Podniosłem się, zakasłałem, przestraszyła się, i zanim zapytałem o cokolwiek, powiedziała, że musi złapać pierwszy samolot do São Paulo. Odwróciła się do ściany, powiedziała, że musi zdążyć na śniadanie do prefektury, potem powiedziała, że musi być z kamerą na wyścigach konnych, potem jeszcze powiedziała, że musi zmienić hotel, a ja nie rozumiałem, dlaczego mówi to wszystko odwrócona do mnie plecami. A było tak, bo chciała, żebym pomógł jej zapiąć suknię, kiedy to robiłem, zauważyłem fałdkę skóry, której o mało co nie przyciąłem suwakiem. Pocałowała mnie w czoło, wyskoczyła biegiem, chwyciłem ją za ramię w korytarzu, a ona przypomniała sobie, że ma i dla mnie prezent. Wyjęła z torebki paczkę, po kształcie rozpoznałem książkę. Nie musiałem nawet zgadywać, co to za książka, bo przez rozdarte opakowanie widoczna była okładka w kolorze musztardy z gotyckimi literami. Przeprosiła, że otwarła prezent w samolocie, czytała ją już dwukrotnie, ale nie mogła się oprzeć pokusie trzeciej lektury: książka jest absolutnie cudowna. Weszła do windy i kiedy zamykały się drzwi, powtórzyła: absolutnie cudowna.

Głośno wypowiadanych uwag na temat mojej pracy, przychylnych bądź nie, nauczyłem się słuchać beznamiętnie jeszcze w czasach, kiedy mieszałem się z tłumem, żeby wysłuchiwać świeżo napisanych przemówień politycznych. Gdy zacząłem pisać do prasy, lubiłem wchodzić do barów na Copacabanie, w których samotni mężczyźni spędzają popołudnia, popijając piwo nad gazetą. Kiedy trafiałem na kogoś, kto czytał mój artykuł, siadałem przy stoliku obok i byłem prawie pewien, że za chwilę człowiek podzieli się ze mną jakimiś uwagami, nie podejrzewając nawet, że ja jestem autorem. Ludzie zawsze do mnie zagadują, myśląc, że znają skądś moją pospolitą twarz, równie bezosobową jak moje nazwisko José Costa;

gdyby istniała książka telefoniczna ze zdjęciami, więcej byłoby twarzy takich jak moja niż ludzi noszących moje nazwisko. Często się zdarzało, że człowiek był już kilka piw do przodu i trącał mnie, czytał jakiś fragment artykułu z entuzjazmem albo też z niesmakiem lub z pogardą. W pierwszym przypadku pozwalałem sobie na zastrzeżenia, jeszcze bardziej podniecając czytelnika po to, by stanął na środku baru i zaczął czytać, wykrzykując najlepsze zdania; w przeciwnym wypadku od razu przyznawałem rację, żeby jak najszybciej zamknąć temat. Ale od ślubu, jeśli byłem pewien, że napisałem naprawdę natchniony tekst, nie potrzebowałem knajpianych opinii; moim marzeniem było, żeby przeczytała go Vanda. Kupowałem kilka egzemplarzy dziennika i rozkładałem je moim tekstem na wierzchu na jej drodze: na stole w jadalni, przy telefonie, w kołysce małego, koło lustra w łazience. Gdybym widział Vandę, jak przebiega wzrokiem po moich słowach, uśmiecha się, docenia tekst, nie wiedząc, że jest mój, byłaby to dla mnie niemal równa przyjemność, jak patrzenie na to, jak się rozbiera, kiedy nie wie, że jest obserwowana. Ale nie, brała gazetę do ręki, przekładała stronice, oglądała zdjęcia, czytała podpisy, bo Vanda nie miała cierpliwości do czytania długich tekstów. Stąd moje osłupienie, kiedy usłyszałem z jej ust, że czytała moją książkę i to nie raz, ale trzy razy. To nawet lepiej, że się spieszyła i nie patrzyła na mnie, mówiąc te słowa, bo w tamtej chwili zachowałem się jak szczeniak. Musiałem oblać się rumieńcem, przygryzłem dolną wargę, oczy napełniły mi się łzami, odczuwałem litość i dumę z siebie samego, było tak, jakby jej dwa słowa naprawiły siedem pustych lat. Po chwilowym paraliżu zdałem sobie sprawę, że nawet jej nie podziękowałem za upominek; zbiegłem po schodach i wypadłem na chodnik dokładnie w chwili, kiedy taksówka ruszyła. Poszedłem do apteki, kupiłem okulary, oparłem się o ladę, otwarłem książkę, ale zaraz poczułem, że takie czytanie nie ma żadnego uroku, chciałbym móc czytać jej oczami. Zawinąłem książkę byle jak, żeby wyglądała tak jak wtedy, kiedy mi ją dała, absolutnie cudowna. Jej słowa dźwięczały mi w głowie, a własny sąd nic nie znaczył albo znaczył tyle, co sąd pijaków z Copacabany, czy też tyle, co tematy, które przysłał mi Álvaro w brulionie, którego nawet nie otworzyłem. Brulion ten miał mnie zachęcić, bym wrócił do pracy: Niemiec nie daje mi spokoju, staruszku, trzeba napisać nową książkę, znalazłem już nawet sponsora na druk... Została wyznaczona w biurze data spotkania z Kasparem Krabbe po to, by nagrywać jego wyznania, ale nie przyszedłem, wymyśliłem jakąś przeszkodę, uważałem za obraźliwe, że spodziewają się po mnie seryjnego produkowania bestsellerów. Álvaro nalegał, dzwonił do mnie bez przerwy, jego głos odbijał się od ścian pustego biura, i gdybym był draniem, to bym mu doradził, żeby moje zlecenie przekazał komuś innemu. Wiedziałem, że jego chłopcy jeden po drugim kolejno go opuścili, zabierając ze sobą klientów, założyli własne dobrze prosperujące biura i pisali wszystko oprócz autobiograficznych powieści na takim poziomie jak moje. Gdyby to robili, nie tylko zarabialiby fortunę, ale wymagaliby umieszczenia swojego nazwiska na górze okładki; należeliby przecież do nowej klasy uznanych ghostwriterów, których zdjęcia z wysokimi kobietami w objęciach publikowały kolorowe czasopisma. Nie wspomniałem jednak Álvaro o tych chłopcach, poprosiłem go tylko, by postarał się rzadziej do mnie dzwonić. Mogę nagle potrzebować telefonu, bo w tych dniach jestem sam z dzieckiem i niańką, poza tym Vanda może będzie chciała dowiedzieć się, co słychać u rodziny, poda swój nowy adres w São Paulo albo numer komórki. A kiedy zadzwoni, skorzystam z okazji, żeby jej powiedzieć, jak sobie cenię prezent od niej, dam wyraz zaskoczeniu jej znakomitym gustem literackim. Wtedy ona, pełna próżności, będzie mówiła o płynnej narracji i stylistycznych walorach książki i trzymając ją w ręku, przeczyta mi całe akapity, które wcześniej podkreśliła. Nie zadzwoniła, ale oczekiwanie miało taki skutek, że bardzo zbliżyłem się z moim synem; zmontowałem jego prezenty gwiazdkowe, policyjny helikopter, wóz strażacki, uruchomiłem chodzącego krokodyla sterowanego pilotem, razem jedliśmy w kuchni, na wigilijny wieczór zamówiłem w delikatesach cztery *panetones*. Zaprosiłem go do mojego łóżka na wspólne oglądanie dziennika, udało mi się nawet zamienić z nim parę słów: kto to jest ta śliczna pani w telewizorze? Mamusia. Kogo Joaquinek kocha najbardziej? Mamusię. Z kim tatuś spędzi sylwestra i Nowy Rok? Z mamusią. Teraz śpij, aaa, kotki dwa, szare bure obydwa.

Liczyłem na spędzenie nocy sylwestrowej z Vandą, choćby dlatego, że tego dnia nie ma nocnego wydania wiadomości, które by ją zatrzymało w São Paulo. Moglibyśmy pójść obejrzeć sztuczne ognie na Copacabanie, i jak w pierwszych latach, wrzucalibyśmy białe kwiaty do morza, składali sobie życzenia i całowalibyśmy się w usta o północy. Nowy rok, nowe życie; obiecałbym jej, szepcząc do ucha, że już nigdy jej nie opuszczę, gotów na wszystko, żeby udowodnić jej moją miłość, mógłbym nawet zamieszkać w São Paulo. Właściwie chodził mi już po głowie pomysł, żeby raz na zawsze rzucić agencję, książki, pracę zawodową. A może przydarzyło mi się to samo, co wielu nieszczęśliwym artystom, że moja twórcza wena wygasła w pełni życia. To jednak mnie nie przerażało, nie byłby to powód, żebym zaczął pić czy poświęcił się jakiejś religii. Nie musiałbym też żyć w odosobnieniu czy w ukryciu, bo jako anonim, a nie artysta pozbawiony sławy, nie byłbym narażony na społeczne potępienie. Nie zatopiłbym się we wspomnieniach, a tym bardziej nie stałbym się oszustem, marnym pisarzyną, plagiatorem własnej twórczości. I zapewne nie popadłbym w nędzę, bo trochę już w życiu odłożyłem, a poza tym Vanda musi nieźle zarabiać w telewizji. I gdybym zaczynał od zera, byłaby zachwycona, znów widząc we mnie tego porywczego młodzieńca, szczerego, gotowego wyrażać swoje najpiękniejsze uczucia. Bo na początku małżeństwa, jeszcze jako początkujący pisarz, bez wątpienia byłem dla niej cudownym mężem. Jednak w miarę, jak literatura stawała się dla mnie najważniejsza, w sposób naturalny mój związek z Vandą zaczął słabnąć. Kiedy poświęcałem się mej pracy, pisałem i przepisywałem, poprawiając i udoskonalając swoje teksty, pieszcząc każde słowo, które przelewałem na papier, zaczęło mi brakować dobrego słowa dla niej. Nie miałem nawet ochoty odzywać się, a kiedy to robiłem, wygadywałem głupstwa, frazesy, zdania ordynarne, bez sensu, z błędami składniowymi. A jeśli czasem w nocy, w łóżku z nią, przychodziły mi do głowy piękne słowa, dusiłem je w sobie, zatrzymywałem, oszczędzałem je do późniejszego praktycznego zastosowania. Właściwie liczyłem, że Vanda spędzi ze mną noc sylwestrową, jednak musiałem przyznać, że ma liczne powody, żeby się nie pojawić. Już prawie pogodziłem się z myślą, że jest z innym mężczyzną, może z jakimś skromnym literatem z São Paulo, który obdarza ją zasłużoną atencją. Dzieciak też czekał na nią godzinami, gapiąc się w telewizor, i nie było metody, by mu wytłumaczyć, że tej nocy nie będzie dziennika. Obejrzeliśmy widowiska pirotechniczne w Moskwie, Atenach, Berlinie, wszystkie wyglądały tak samo i wydaje mi się, że zasnąłem przy Nowym Roku w Lizbonie. Jakaś symfonia w wykonaniu orkiestry z chórem powoli zaczęła słabnąć, od-

pływać, oddając teren kotkom dwóm, na dwa głosy, i nie
był to sen o tym, jak Vanda i Vanessa kołyszą dziecko,
obie z rozpuszczonymi włosami, z kolczykami, w brylan-
towych naszyjnikach, bransoletkach, w długich sukniach
z cekinami. Zerwałem się jednym skokiem, Vanessa wy-
śmiała moje spodenki, a Vanda zdziwiła się, że mam
ochotę iść na imprezę.

Ach, co za upał, la la la la, już w windzie słychać
było karnawałowe piosenki. Drzwi otworzyły się na ostatnim piętrze i znalazłem się twarzą w twarz z fotografem,
celującym aparatem w moją stronę. Zobaczyłem w obiek-
tywie odbicie mojej twarzy, wyłupiaste oczy, otwarte usta,
fizjonomia, jaką mam na wszystkich zdjęciach – zdjęciach
paszportowych. Zobaczyłem, jak wskazujący palec fotografa, gotowy do naciśnięcia guzika, szybko się cofa. Od-
sunąłem się i zaraz zrobił zdjęcie roześmianym Vandzie
i Vanessie, jedną nogą już w salonie, drugą jeszcze w windzie. Obie zostały tak przez kilka sekund, jakby zasko-
czone w ruchu, przed równie znieruchomiałym fotografem. Wreszcie Vanessa przestała się uśmiechać, opuściła
głowę i wyszła z ram obrazka, a fotograf zrobił zdjęcie
Vandzie, i jeszcze jedno, i drugie, trzecie, czwarte. Widziałem wokół osoby w jasnych strojach, właściwie bardziej błyszczących niż jasnych, i zdałem sobie sprawę,
że mój szary garnitur na tej imprezie jest niedorzeczny.
Karnawałowa piosenka przelewała się ze wzmacniaczy:
jak na Saharze, la la la la, niektóre osoby poruszały się

w miejscu. Ogromny salon, wypełniony ludźmi, kończył się wielkimi oknami wychodzącymi na plażę Copacabana; światła rozbłyskiwały i tu, i tam, trudno było odróżnić sztuczne ognie na plaży od fleszy w mieszkaniu. Wziąłem Vandę za rękę, szukałem dla nas spokojniejszego kąta, choć prawdę mówiąc, to ona mnie prowadziła, chciała znaleźć się w świetle reflektorów i ciągnęła za sobą ciemną sylwetkę. Naraz jej dłoń puściła moją, niby rękę tonącego, i zobaczyłem, jak Vanda odfruwa niemal, rzuca się w najjaśniejszy punkt salonu. Pod całą baterią reflektorów, ponad wszystkimi głowami, błyszczała czerwona łysina Kaspara Krabbe. Udzielał wywiadu reporterowi, którego znałem z telewizora, obaj w letnich marynarkach, obaj wykrzykujący do mikrofonu, jednak z mojego miejsca słyszałem tylko karnawałową piosenkę: choć to nie Egipt, la la la la. Wkrótce pojawił się Álvaro, w żółtozłotym smokingu, prezentując do kamery egzemplarz *Kobietopisarza*, i w trójkę zaczęli się obejmować: dobry Allachu, la la la la, wydawało się, że chórem śpiewają. Wtedy reporter poprosił Vandę, a ona weszła na scenę promienna, olśniewająca jak nigdy wcześniej. Cała się wyprężyła, żeby ucałować Kaspara Krabbe, i mogłem wyczytać z jej warg: absolutnie cudowny. Pokiwała głową i powtórzyła: absolutnie cudowny. Słońce było gorące i paliło twarz, mówiła piosenka, a kiedy reflektory zgasły, zgubiłem Vandę. Kluczyłem po salonie, błąkałem się, na mojej drodze stanęła Vanessa; podała mi kieliszek szampana, stuknęła się ze mną i popchnęła mnie schodami w górę na otwarty taras. Jak na Saharze, la la la la... śpiewał solista stojący przed orkiestrą dętą, wszyscy przebrani w hawajskie stroje, na scenie za basenem. Vanessa wychyliła się przez poręcz, wskazała w kierunku plaży, chyba mnie prosiła, żebym ją tam zabrał, ale nie słyszałem, co mówi. Nasze kieliszki były puste, poszedłem na poszukiwanie kelnera i natknąłem się na Álvaro, wchodzącego po schodach z kobietą o ostrych rysach twarzy, wyglądającą jak transwestyta. Co z Niemcem, zapytałem, on jednak spojrzał na zegarek i odpowiedział, że wpół do dwunastej, potem chwycił mnie za ramiona i krzyczał do ucha coś na temat strategii marketingowej, praw autorskich. A la la la, aaaa, a la la la... teraz wszyscy śpiewali, podskakując z rękami w górze, na brzegu basenu. I właśnie tam zobaczyłem Vandę, jak znów pozowała do zdjęć. Siedziała pośrodku orkiestry, nogi miała skrzyżowane nad krawędzią basenu, ubrana w srebrną suknię, wyglądała jakby pozowała jako syrena. Gdybym tylko spotkał kelnera, przyniósłbym jej szampana, ale zobaczyłem, że Kaspar Krabbe podchodzi do niej z dwoma kieliszkami w ręce. Vanda podniosła dłoń, a jej bransoletka zsunęła się z nadgarstka do łokcia i nawet z tej odległości odczytałem ruch jej warg: absolutnie cudowny. Okrążając basen, minąłem grupki pijaków, wąchaczy eteru, polityków, Amerykanów, gejów, dobry Allachu, la la la la. W końcu znalazłem się obok Vandy i Kaspara Krabbe, siedzących twarzą w twarz, bardzo blisko siebie. Stałem przy nich, kiwając się, widziałem, jak Niemiec cicho rozmawia z Vandą, i po zmarszczonym czole poznałem, że opisuje jej męki procesu twórczego. Dobrą chwilę jeszcze znosiłem blask w oczach Vandy i nie zauważyłem, że moja dłoń zaciska się i pusty kieliszek nagle pękł mi w palcach. Odłamki szkła upadły pod stopy Niemca, on jednak nie przestawał mówić, wyglądał tak, jakby bez przerwy mełł ten sam temat, cały czas ze wzruszoną miną. Zaczynałem odczytywać jego słowa z ruchu ust: długie jesienne wieczory spędzone nad białymi kartkami, albo: kolejne strony darte jedna po drugiej w długie bezsenne noce, albo: kolejne strony opadały jak jesienne liście, jak me jasne długie włosy, a na to Vanda: absolutnie cudowny. W końcu walnąłem go w plecy, a na jego białej marynarce odbiła się krew cieknąca mi z palców. Dopiero wtedy spojrzał na mnie, niechętnie i bez zainteresowania, bo rzeczywiście nie chciał chwalić się publicznie bliższą znajomością ze mną; dla wszystkich byłem zaledwie daktylografem, który świadczył mu usługi. Vanda jednak była moją żoną i spojrzała na mnie z odrazą. Pewnie wstydziła się mojego szarego garnituru, kiedy była w towarzystwie znakomicie ubranego dżentelmena. Jednak nawet gdybym był goły, w samych gatkach, nadal byłem jej mężem, wyciągnąłem więc do niej dłoń i powiedziałem: chodź. Pomachałem ręką, żeby ją ponaglić: chodźmy tańczyć. Pozostawiła w powietrzu moją rękę, brzydziła się moją dłonią, z której spadały krople krwi, nie powinno tak być, ja przecież nigdy nie brzydziłem się jej krwią. Złapałem ją za nadgarstek, jednym pociągnięciem podniosłem ją, ona spojrzała jeszcze na Kaspara Krabbe, który nawet palcem nie kiwnął. Wyszedłem na taras, ciągnąc ją za sobą, a ona potykała się na tych swoich wysokich obcasach. Dobry Allachu, la la la la, minąłem grupki gejów, Amerykanów, polityków, fotograf wyskoczył naprzeciwko mnie i zrobił jedno, drugie, trzecie, czwarte zdjęcie. Vanda zasłaniała twarz, płakała, odepchnąłem fotografa, minąłem Álvaro, minąłem transwestytę, przeszedłem przed orkiestrą: ach, co za upał, la la la la... Za sceną był korytarz, wąski, ciemny, pełen ciemnych futerałów, przypominających sarkofagi w kształcie instrumentów muzycznych, był to zaciszny kącik, idealny dla nas dwojga. Vanda stawiała opór, zapierała się stopami, kuliła, i taką skuloną zaciągnąłem w głąb tej pieczary, gdzie nie lśniły już jej oczy ani suknia, ani nic. Zaczęła wierzgać, zapewne myślała, że zedrę z niej ubranie, uderzę, wykorzystam. Ograniczyłem się jednak do postawienia jej przy murze, przycisnąłem jej biodra do desek estrady, unieruchomiłem własnym ciałem, bo chciałem przez minutę być z nią sam na sam. Nie chciałem nawet na nią krzyczeć, czekałem na koniec tego hałasu, żeby powiedzieć jej kilka słów. Przytrzymałem jej włosy obiema rękami, przycisnąłem nos do jej nosa, poczułem szampana w jej oddechu, a może w moim, usłyszałem jak biją nasze serca, i tak staliśmy. Naraz cała orkiestra wydała suchy akord i zanim wybuchły oklaski, brawa i okrzyki, nastąpiła krótka chwila ciszy. W tym pustym momencie nieswoim głosem powiedziałem: ja jestem autorem książki.

Ostatni raz, kiedy widziałem Vandę, miała szeroko otwarte oczy i twarz oświetloną sztucznymi ogniami: złotymi, srebrnymi, niebieskimi, zielonymi i różowymi. Potem zbiegłem po schodach, wsiadłem do trzęsącej się windy, wydawało się, że budynek zawali się od tych wybuchów. Przeszedłem na drugą stronę alei, wszedłem na plażę pełną ludzi, puste były jedynie rytualne kręgi otoczone świecami. Podszedłem do brzegu, gdzie kobiety z zakasanymi spódnicami i mężczyźni z podwiniętymi spodniami wrzucali do morza białe kwiaty. Naraz załamała się silniejsza fala, cofnąłem się, żeby nie zmoczyć butów; piana dotarła do moich stóp i gałąź lilii osiadła na piasku. Oznaczało to, że nie zostanie spełnione jakieś życzenie, może zbyt ambitne albo za słabe, albo enigmatyczne, albo zdrożne, kto wie. Podniosłem lilię z trzema namokniętymi kwiatami, wytłamszonymi, ale jeszcze całymi i pomyślałem, żeby wejść do morza, w ubraniu, butach i wszystkim, żeby przerzucić kwiat za linię załamywania fal. Być może jednak Iemanjá zezłości się, widząc powtórnie tę samą lilię, którą właśnie odrzuciła. Przecież lilie to lilie, wszystkie takie same, a ona nie ocenia kwiatów, tylko życzenia. Zamknąłem oczy, zrobiłem pierwszy krok, drugi, trzeci, naraz zdałem sobie sprawę, że nie mam żadnego życzenia. Kiedy nie wierzyłem w moc bogini Iemanjá, zawsze składałem jej daninę i byłem wysłuchiwany, a teraz wierzyłem i stałem z niepotrzebną ofiarą w dłoni. Może mógłbym poprosić, żeby nie padły słowa, które powiedziałem Vandzie. Może mógłbym poprosić, żeby słowa te zostały wymazane, zamienione na jakiekolwiek inne, wycięte z mojej historii, ale takiego życzenia nawet królowa morza nie potrafi spełnić. Rzuciłem więc lilię i powoli poszedłem po miękkim piasku do fortu Copacabana, potem wzdłuż plaży na Ipanemie, patrzyłem na wschód słońca z Leblonu. Po cichu wszedłem do domu, drzwi do sypialni były otwarte, Vanda ciągle miała na sobie srebrzystą suknię. Spała skulona, sama się obejmując, spojrzałem w inną stronę z obawy, żeby nie poczuć pożądania. Zdjąłem walizkę z szafy, wrzuciłem do niej parę ubrań i szybko zamknąłem. Ze schowka w szufladzie wyjąłem paszport, kartę kredytową, trochę pieniędzy, dolary, forinty. Podnosząc walizkę, musiałem zrobić jakiś hałas, bo Vanda odezwała się: José. Byłem już na środku salonu, kiedy usłyszałem: odgrzeję ci zupę.

Wielkie panisko

Wielkie panisko, a zajada gówna. Kriska uderzyła ręką w stół, nie znosiła, kiedy jej syn mówi gówno przy jedzeniu. Wielkie panisko, a obciąga druta. Połykałem w milczeniu swoją porcję kurczaka, kapusty, wody, chleba, bo mimo wszystko były dla mnie radością te wieczory, kiedy Pisti był w domu. W pozostałe dni wracałem z pracy, słuchałem taśm, robiłem notatki, podgrzewałem cokolwiek w mikrofalówce, zmywałem naczynia, słałem moje łóżko polowe w spiżarni, zamykałem oczy i wymyślałem kraje. Wymyślałem historyczne miasta, wulkany, nadawałem nazwy wielkim rzekom i ich dopływom, przy odrobinie szczęścia zasypiałem. Ale prawie zawsze budził mnie podniesiony głos Kriski. Wracała do domu późno, bo lubiła chodzić na wermut, a kiedy piła dużo wermutu, sprowadzała do domu mężczyzn. A kiedy sprowadzała do domu mężczyzn, nalegała, żeby patrzyli, jak leżę w łóżku: widzisz, to ten facet, o którym ci opowiadałam, a na to mężczyzna: to tutaj mieszka ten nieszczęśnik, a ona: tak, tu mieszka ten nieszczęśnik. Potem szli do jej sypialni i nie mieli nawet tyle taktu, żeby zamknąć drzwi. Wtedy siadałem na łóżku polowym, nakładałem słuchawki na uszy i włączałem szpulowy magnetofon na cały regulator, żeby nie słyszeć niczego więcej. Słuchałem sonetów, dramatów, dialogów, monologów, ale w takich okolicznościach, choć nie rozumiałem połowy słów, najbardziej lubiłem zażarte polemiki, podczas których wszyscy mówią równocześnie. Najgorsze były przerwy w nagraniach, chwile zastanowienia poetów, słaby głos wiekowych mówców. Albo chwile, kiedy zmieniałem taśmę i byłem zmuszony wydawać przypadkowe dźwięki, mówiłem niam niam niam, niom niom niom, i mimo to słyszałem jęki dochodzące z sypialni. A kiedy przesadzałem z moimi dźwiękami, oni w sypialni zaczynali śmiać się do rozpuku; Kriska do dziś myśli, że niam niam niom niom to język, jakim się mówi w Ameryce Południowej.

Kiedy Kriska znalazła mi pracę, powiedziała: to praca fizyczna, dla emigrantów takich jak ty. Jej słowa były obraźliwe, ale praca nie, wręcz przeciwnie; gdyby nie dobre układy Kriski w Klubie Literatury Pięknej, raczej by nie przyjęli do swojego kręgu cudzoziemca kaleczącego język. Choć owi intelektualiści, ciągle mówiący o semantyce, semiologii, hermeneutyce, nigdy nie odzywali się do personelu. A żeby przestawiać meble, podłączać mikrofony, ustawiać poziom dźwięku, wystarczało mi niewiele węgierskich słów: przepraszam, próba mikrofonu, raz, dwa, trzy... Pod koniec dnia zabierałem do domu magnetofon pod pretekstem koniecznej konserwacji i bez przerwy słuchałem taśm, żeby doskonalić swoją znajomość języka. Następnego poranka wracałem, dźwigając magnetofon, nagrane taśmy oddawałem do biura, zabierałem kilka czystych i zajmowałem swoje miejsce w kącie biblioteki. Kiedy tylko pojawiał się pierwszy członek klubu, uruchamiałem nagrywanie zawczasu przygotowanym guzikiem, bo żadne słowo wypowiedziane w bibliotece nie mogło zginąć. Czasami całe taśmy przewijały się na próżno, kiedy pisarze zatapiali się w lekturze, medytowali, robili notatki albo drzemali w fotelach. Przed wieczorem jednak zawsze ktoś poddawał ocenie kolegów jakiś aktualny problem o wydźwięku kulturalnym. Dyskutowano też nad klasykami literatury lub któryś z poetów zabierał się do deklamowania niepublikowanych wierszy, ogarnięty nagłym natchnieniem. A w sobotnie wieczory Klub Literatury Pięknej organizował w audytorium pokazy literackie dla publiczności, choć moim zdaniem literatura jest jedyną ze sztuk niewymagającą pokazów. Przychodziłem trzy godziny wcześniej, sprawdzałem kable, wtyczki, podłączenia, ustawiałem stoły, nakrywałem je czarnym suknem, za stołami ustawiałem krzesła i naprzeciwko każdego krzesła umieszczałem mikrofon. Kilka minut przed odsłonięciem kurtyny ustawiałem szklanki i butelki wody mineralnej i siadałem z tyłu sali, przy konsolecie.

Stamtąd, wyciągając szyję, mogłem widzieć część widowni, sam będąc niewidocznym, i mogłem sprawdzić, czy Kriska jest sama, czy z kimś, bo zawsze siadała w pierwszym rzędzie. I mimo że siedziałem w ciemności, zawsze na takie okazje ubierałem się w granatowy garnitur z krawatem, kupiony na bułgarskim targu, jeszcze w całkiem dobrym stanie. Na tym samym targu nabyłem też, za zaliczkę pierwszej wypłaty, obcisły beret i ogromne futro z niedźwiedzia, którego nie zdejmowałem nawet do snu. Bo spiżarnie zwykle nie mają ogrzewania, a tamta zima była wyjątkowo ostra nawet dla Europejczyków, a co dopiero mówić o mnie, w dodatku przyjechałem całkiem nieprzygotowany. W szybko spakowanej walizce nie przywiozłem żadnych wełnianych ubrań, nie zadbałem też o nie zaraz po przyjeździe, licząc na płaszcz i czapkę, które Kriska miała w domu. Nie przypuszczałem, że będzie mnie witać z otwartymi ramionami po moim nagłym wyjeździe, nie sądziłem też jednak, że odmówi zmarzniętemu człowiekowi ubrań, których sama nie potrzebowała. Mogłem znaleźć wiele argumentów przemawiających za tym, że płaszcz i czapka byłego męża są w pewnym stopniu bardziej moje niż jej. Kriska jednak nie miała ochoty na żadne rozmowy. Myślę, że wpuściła mnie do domu tylko po to, by uniknąć problemów, jakie miałaby z policją, gdybym umarł pod jej drzwiami.

Kiedy zamieszkałem w hotelu Plaza, zaraz zadzwoniłem do Kriski. Na automatycznej sekretarce zostawiłem jej swoje namiary, wymawiając słowa bardzo starannie, ale na próżno czekałem, żeby oddzwoniła. Drugiego dnia wysłałem jej kwiaty z bilecikiem: Kochana Krisko, w Budapeszcie na zawsze jestem, Kósta. I nic. Na trzeci dzień postanowiłem zaczekać na nią przy wyjściu z domu wariatów, widziałem w oknie postać ją przypominającą, ale musiała stamtąd wyjść jakimiś tylnymi drzwiami. Zapadł wieczór, wsiadłem do metra i pojechałem pod numer 84 na ulicy Tótha, zadzwoniłem domofonem pod siedemnastkę. Dzwoniłem, dzwoniłem i nikt nie odpowiadał, było coraz zimniej, metro przestało jeździć, wróciłem do hotelu na piechotę. Następnego popołudnia znów poszedłem do wariatkowa, zapytałem o Kriskę, ale kobieta, która mnie przyjęła, tylko się we mnie wpatrywała, musiała być pacjentką. Poszukałem tylnego wyjścia, okrążyłem budynek siedem razy, obszedłem kawiarnie, do których kiedyś razem chodziliśmy, nabrałem przekonania, że Kriska musiała wyjechać na narty albo na łyżwy. Skierowałem się do jej domu siłą przyzwyczajenia, bez wielkiego przekonania nacisnąłem domofon i słysząc głos Pistiego, wykrzyknąłem radośnie: tu twój przyjaciel Kósta! najlepszy strzelec bramek, Kósta! Pisti nie odezwał się, nie otworzył elektrycznego zamka, dobrą chwilę stałem na dworze, nie wiedząc, co robić. Palce mi już ścierpły z zimna, moje ucho przypominało szklany odłamek, kiedy chłopiec wrócił do domofonu i grubym głosem oznajmił, że w tym domu pani Fülemüle już nie mieszka. Na piąty dzień trzeszczało mi w płucach, nie wiem, czy z powodu papierosów Fecske, czy był to początek zapalenia płuc. Postanowiłem kupić rękawiczki, czapkę i kaszmirowy płaszcz w wielkim domu towarowym, kiedy jednak poszedłem zapłacić, kobieta odmówiła przyjęcia mojej karty kredytowej. O co pani chodzi, zapytałem, ale sprzedawczyni była nerwowa, chyba mówiła jakimś dialektem, nawet nie chciała patrzeć na mój paszport. Poszedłem do bankomatu, wbiłem swój pin, na ekranie pojawił się niezrozumiały napis, i pieniądze nie wyskoczyły. Powtórzyłem operację, ekran zaciemnił się i maszyna połknęła moją kartę. Przemknęło mi natychmiast przez myśl: to Álvaro zablokował moje konto, szantażuje mnie, żebym znów został jego niewolnikiem w biurowym pokoiku. Potem wymyśliłem coś lepszego. Vanda chce, żebym wrócił, będzie ze mną chodziła na imprezy, przedstawi mnie swoim przyjaciołom, którym w zaufaniu pochwali się: to mój mąż jest prawdziwym autorem *Kobietopisarza*. Przez chwilę stałem przed bankomatem, ale kłócenie się z maszyną byłoby równie bezsensowne, jak obwinianie Vandy o to, że powtarza innym to, co sam jej powiedziałem. Poszedłem ku najruchliwszym ulicom Pesztu, wchodziłem i wychodziłem ze sklepików, wchodziłem i wychodziłem ze stacji metra, zanurzałem się w bary wypełnione ludźmi mówiącymi po węgiersku; miałem nadzieję, że w ten sposób uda mi się wyrzucić z głowy słowa, które powiedziałem Vandzie. Udawało mi się mniej więcej, zawsze jednak pamiętałem, że one we mnie trwają, niby cicha muzyka, jak stałe brzęczenie z tyłu głowy. Żeby zapomnieć te słowa, może trzeba zapomnieć własny język, ten, w którym zostały wypowiedziane, podobnie jak wyprowadzamy się z domu, który przypomina nam zmarłą osobę. A może da się wymienić w głowie jeden język na inny: powoli i stopniowo, będę usuwał każde słowo po kolei, zastępując je innym. Przez jakiś czas moja głowa będzie przypominała remontowany dom, nowe słowa będą wciągane przez jedno ucho, a stare będą usuwane przez drugie. Z pewnością będzie mi przykro, że marnuje się wiele pięknych słów, wyszukanych i ozdobnych, dla kilku marnych egzemplarzy, używanych przeze mnie w straszny sposób. Lecz z drugiej strony, raz wyzwolony z całego słownictwa romańskiego, przy wsparciu Kriski, będę mógł wypowiadać się w najczystszej węgierszczyźnie. Jeśli Kriska nadal z uporem nie będzie się do mnie odzywać, nauczę się byle jakiego węgierskiego na ulicy, na rogu, od dziwek, w piwiarniach, w tej spelunce, gdzie piłem tamtego wieczoru i nocy aż do zamknięcia. Kiedy wyszedłem na ulicę, padał drobny deszczyk, który mnie zmusił do szybkiego kroku, biegu, pędzenia w kierunku Budy. Byłem już w połowie mostu, kiedy zdałem sobie sprawę, że nie mogę wrócić do hotelu. Moje nazwisko, to samo, co na skonfiskowanej karcie kredytowej, musiało się już pojawić na jakiejś czarnej liście i w każdej chwili administracja hotelu Plaza zażąda uregulowania rachunku. Wydałem ostatnie forinty na piwo i papierosy, zostanę więc nieodwołalnie zatrzymany i deportowany. Odwróciłem się na pięcie, przebiegłem trzy kilometry, przeszedłem mniej więcej tyle samo, dowlokłem się pod drzwi Kriski. Nacisnąłem domofon, modląc się, żeby ona się odezwała, padał gęsty deszcz, byłem przemoknięty. Kiedy zamierzałem ponownie zadzwonić, nie byłem w stanie podnieść ręki, sztywnej i posiniałej, ze zlepionymi palcami, przypominającej bardziej łapę strasznego zwierzęcia, skręconą do środka. Pomyślałem, że muszę poszukać jakiegoś schronienia, garażu, może jakiejś kaplicy na cmentarzu, ale kolana mi zesztywniały, nie mogłem się ruszyć. Mimo woli stawałem się garbusem, bo chowając szyję w ramionach, odczuwałem pewną ulgę. Zmarszczyłem czoło, zamknąłem oczy, wcisnąłem brodę w tułów, dopóki starczy tchu, będę chuchał na pierś, ogrzewał ją własną parą. Zimno w nogach stawało się mniej dotkliwe, bo już nie czułem nóg, które nagle złożyły się w pół, sam nie wiem jak. Upadłem na kolana i głową walnąłem w żelazną kratę w drzwiach, jednak uderzenie nie zabolało mnie, tylko jego dźwięk łomotał mi w skroniach. Miałem wrażenie, że po twarzy spływa mi ciepła krew, i pomyślałem, iż w tej pozycji mogę się trochę przespać. Tak leżąc, usłyszałem warkot silnika za plecami, trzaśnięcie samochodowych drzwi, jakieś śmiechy, kroki i głos mężczyzny: a to co takiego? I głos kobiety: to ten facet, o którym ci mówiłam, i mężczyzny:

nieszczęśnik jest o krok od śmierci, a ona: facet pod moimi drzwiami jest o krok od śmierci.

Obudziłem się w piżamie na kanapie, pod kocami, z obandażowaną głową, spojrzałem na Kriskę i trochę się przestraszyłem jej wąskich warg. Zacząłem opowiadać o moim pechu, o tym, że zostałem w Budapeszcie bez dachu nad głową, mówiłem, że jestem uchodźcą politycznym z mojego kraju, i słyszałem, jak wiele razy wzdycha. Mój węgierski, tak szybko zapomniany, budził jednak jej współczucie. Kazała mi zamilknąć, słusznie zmartwiona, bo dla niej takie zaniedbanie języka musiało oznaczać, że równie szybko zapomniałem jej białą skórę. Kazała mi wstać i już zacząłem drżeć z obawy, że zaraz wyląduję na ulicy, z gorączką, tak jak stałem. Ale Kriska była dobra, umieściła mnie w swojej spiżarni, gdzie dysponowałem składanym łóżkiem i krótkim kocykiem, takim, jaki dostaje się w samolocie. Tam wracałem do zdrowia, nie wiem przez ile dni, bo było to pomieszczenie zamknięte, z dwustuwatową żarówką palącą się bez przerwy. Ruszałem się tylko, żeby pójść do łazienki, i po odbiciu w lustrze widziałem, że płynie czas, rośnie mi broda, gnije bandaż wokół głowy; po kąpieli znów wkładałem na siebie brudną piżamę i brzydząc się samym sobą, wracałem do łóżka. Od czasu do czasu przez okamgnienie widywałem Kriskę, kiedy zmieniała mi talerz albo zostawiała szklankę wody i spodek z antybiotykiem. Prawie się do mnie nie odzywała, być może przez ostrożność, podobnie jak przy mnie była zawsze ubrana i zapięta po samą szyję. I w tym odosobnieniu jako rozrywkę mogłem traktować obgryzanie paznokci, drapanie się w czoło, wydłubywanie z czoła siedmiu szwów, jakie mi założył lekarz, wpatrywanie się w zapaloną pod sufitem żarówkę aż do łzawienia i śpiewanie karnawałowych piosenek po to, by zagłuszyć dręczące wspomnienia. W ten sposób mój i tak zubożały węgierski mógł, w środku Budapesztu, całkiem zaniknąć. Węgierski, jaki słyszałem, to były głosy odległe, nierozpoznawalne, dźwięk radia albo kłótnie sąsiadów. Albo Pisti, który zaglądał do spiżarni, krzyczał coś, co dla mnie brzmiało jak turecki. Albo w półśnie słyszałem zmieniony głos Kriski, zmieszany z głosami nieznajomych mężczyzn, a to, co mówili, nie miało sensu. Pewnego dnia Kriska przyniosła tacę z bułeczkami z dyni, przesunęła ją przed moim nosem i zapytała: hány? Hány, pomyślałem, hány znaczy ile. Już miałem poprosić o pięć, ale wtedy zapomniałem, jak się mówi pięć albo cztery, albo trzy, albo nic. I kiedy Kriska zrozumiała, że mój węgierski zaczyna wisieć na włosku, zaniepokoiła się; już mnie nie kochała, ale to kobieta, nie chciała więc, żebym się zupełnie od niej oddalił. Potem uznała mnie za wyleczonego i znalazła mi pracę; chyba powiedziała, że będę musiał harować jak wół, żeby się wypłacić za wikt i opierunek.

Kiedy ukazał się drukiem *Śliwkowy naszyjnik*, tom opowiadań Hidegkutiego Istvána, znałem już pewne fragmenty, które autor czytał w klubie, zaraz po napisaniu. Po drodze na bułgarski targ, gdzie miałem kupić wentylator, zobaczyłem tomik na wystawie księgarni i wybrałem ten zakup, stwierdziwszy, że nowa książka kosztuje tyle samo co używany wentylator. Przeczytałem ją zlany potem, bo w lecie spiżarnia zmieniała się w piec, i mimo to byłem zachwycony, sam nie wiem, czy prozą samą w sobie, czy też faktem, że zrozumiałem z niej jakieś osiemdziesiąt procent, a resztę mogłem odgadnąć. Przed tą książką po węgiersku czytałem tylko codzienne sprawozdania w Klubie Literatury Pięknej. To jednak było łatwiejsze, bo wcześniej siedziałem na zebraniach i wielokrotnie słuchałem wszystkiego z nagrań. Pod koniec lata kupiłem sobie nawet starą przenośną maszynę do pisania i zacząłem przepisywać niektóre taśmy, żeby porównując ze sprawozdaniami to, co zanotowałem, ocenić swoje postępy w pisaniu. Zaczęło mi się to podobać, a po roku już niemal nie robiłem błędów ortograficznych. Pomyślałem, że gdyby Kriska spojrzała na moje ćwiczenia, byłaby dumna ze swojego dawnego ucznia; i choć jeszcze rzadko się do mnie odzywała, już częściej siadała ze mną do kolacji i zaczęła pić wermut w domu. Kończyłem przepisywanie nagrań przed kolacją, zabierałem zapisane strony do stołu i zostawiałem je tam, jakby niechcący, po wypiciu kawy. Myłem swoje naczynia i siadałem w spiżarni, gdzie słuchałem węgierskich operetek, które nastawiała Kriska. Jeśli Pistiego nie było w domu, przy każdej nowej arii nastawiała głośniej gramofon i unisono sopranem sama śpiewała. Kiedy kończyła się muzyka, szedłem do pokoju i pod abażurem, obok butelki wermutu, znajdowałem moją pracę poprawioną czerwonym ołówkiem. I oddychałem spokojniej, widząc, że najczęściej podkreślane błędy były nie moje, ale wybitnych węgierskich literatów, którym podczas przemówień lub w ferworze debaty zdarzały się gramatyczne potknięcia. Przepisywałem pracę na czysto i następnego ranka oddawałem ją razem z taśmami sekretarzowi klubu. Stary Puskás Sándor rozglądał się na boki i szast-prast, chował do kieszeni papiery, jakby to był napiwek. Nie dziękował mi, to jasne, nawet nie patrzył w oczy, trochę zawstydzony tym, że dostaje swoją robotę gotową i nieskazitelną, dzięki czemu nie musi marnować całego dnia na słuchanie i przepisywanie czyjejś gadaniny. Przyzwyczaił się do takiej procedury do tego stopnia, że jeśli pojawiłem się przypadkiem w jego biurze bez maszynopisu, wbijał we mnie wzrok i mamrotał: lusta vastagbőrű, czyli leniwy słoń. Jednak to nie moja wina, że Kriska od czasu do czasu miewała chwile słabości, zostawała dłużej poza domem i wracała w takim stanie, że nie mogła mi już pomóc. Mimo to, dzięki jej zakamuflowanym lekcjom, w kilka miesięcy byłem w stanie przyswoić sobie normy języka literackiego do tego stopnia, by samodzielnie poprawiać potknięcia najlepszych węgierskich pisarzy. Dlatego trudziłem się bez wytchnienia, odmawiałem sobie wszelkich przyjemności, nawet wolne od pracy niedzielne popołudnia spędzałem pochylony nad materiałami z poprzedniego wieczoru. Podobnie było i tej wiosennej niedzieli, kiedy właśnie męczyłem się nad spisywaniem konferencji na temat onomatopei, z których bogactwa słynie język węgierski. Niektórzy mówcy, być może nieco naciągając argumentację, odnajdywali dźwięki natury w etymologii niemal wszystkich słów. I dla poparcia swoich tez wydawali przedziwne odgłosy, prymitywne dźwięki, naśladowali głosy zwierząt. Na dodatek przez cały czas na wszystkich czterech ścieżkach nagrania słychać było metaliczne dudnienie, pléhek pléhek, a moim zadaniem było nadać graficzną formę tym wszystkim dźwiękom. Zapisywałem również, z odpowiednimi adnotacjami, reakcje publiczności i pogaduszki mówców siedzących za stołem, kiedy temat był kontrowersyjny, budził protesty, prowokował kpiny i ciężkie zniewagi, a im bardziej rosły emocje, tym mocniej cierpiała językowa poprawność. Pracę zamknąłem wykończony i kiedy przewijałem ostatnią taśmę, a nawet kiedy już zdjąłem słuchawki, nadal słyszałem pléhek pléhek. Podszedłem do okna i dopiero wtedy zrozumiałem, że to była Kriska, jeżdżąca na wrotkach przed domem. Służyła jej wiosna, była zarumieniona, ubrana w krótką spódniczkę i tego wieczoru zamiast mrożonki przygotowała świeże spaghetti po bolońsku. Kazała mi też otworzyć butelkę włoskiego wina, którego ledwo spróbowałem w obawie, że każdą kroplę doliczy mi do rachunku na koniec miesiąca. Jeszcze przed kawą wzięła do ręki przyniesione przeze mnie papiery i zaczęła je czytać. Nie wiem, czy to z powodu chianti, czy wiosny, czy może była tak dobrze usposobiona, ale nawet nie mrugnęła, przebiegając wzrokiem moje strony; papieros sam wypalił się w jej palcach, a czerwony ołówek leżał nietknięty obok talerza. Po skończonej lekturze pochyliła głowę i powiedziała: fedhetetlen, czyli bez zarzutu. Wypowiedziała to słowo drżącym głosem i zauważyłem, że oczy jej zwilgotniały. Zrozumiałem, że Kriska znów mnie kocha. I zapewne się obawia, że znowu ją rzucę, kiedy tylko dokładnie poznam język węgierski. Wtedy położyłem rękę na jej dłoni i powiedziałem: zawsze będę twoim wdzięcznym i skromnym uczniem. Jeszcze z łzą spływającą po twarzy uśmiechnęła się i powiedziała: mów dalej, na miłość boską. A ja: najlepsze słowa, jakie znam, dostałem od ciebie, tobie zawdzięczają one swoją moc i piękno. A ona: jeszcze, błagam cię. A ja: tylko twoje słowa będą zawsze moimi, tobie poświęcę moje dni i noce. Wtedy Kriska powiedziała, że mój akcent jest bardzo zabawny.

Dla imigranta akcent może być rodzajem odwetu, sposobem pastwienia się nad językiem, który go tłamsi. W języku, którego nie szanuje, będzie mełł słowa wystarczające mu do pracy i życia codziennego, zawsze te same i ani jednego więcej. I nawet tych niewiele słów zapomni pod koniec życia, żeby powrócić do słownictwa swojego dzieciństwa. Kiedy pamięć zaczyna wysychać podobnie jak basen, z którego powoli wyparowuje woda, zapomina się imiona bliskich osób, choć zapominając dzień wczorajszy, zachowuje się jednak najgłębsze wspomnienia. Dla kogoś, dla kogo nowy język, w którym odnalazł i pokochał wszystkie słowa, jest niby przybrana matka, zachowanie obcego akcentu wydaje się niesprawiedliwą karą. Czasem, będąc w łóżku z Kriską, podziwiałem jej gęste rzęsy albo nagi brzuch, a ona nagle zaczynała zachowywać się tak, jakbym ją łaskotał: przestań, Kósta, na miłość boską, nic już nie mów, i skręcała się ze śmiechu. Gdzie zbłądziłem, jaką spółgłoskę pomyliłem? Przestań, Kósta, przestań, błagam. Przy Pistim też bywałem zakłopotany, chciałem, by czuł przede mną respekt, zwłaszcza teraz, kiedy był prawie moim pasierbem; domagałem się, by pokazywał mi szkolne stopnie, sprawdzałem jego wypracowania, uważałem, że to skandal, by uczniowie szkoły ponadpodstawowej nie znali zasad odmiany czasownika. Uczniowie czego? Powtarzałem: középiskola, bo tak się nazywa szkolnictwo średnie. A Pisti: nie rozumiem. A ja: középiskola. On: jeszcze raz. Ja: középiskola, czy to się nie tak nazywa? Nie, głupku, to középiskola, a najgorsze było to, że nie zauważałem żadnej różnicy. Starałem się mówić jak najpoprawniej po węgiersku, być może dlatego czasem brzmiało to fałszywie. Być może to czy inne słowo wypowiedziane zbyt dokładnie zwracało uwagę, niby szklane oko, wyglądające prawdziwiej niż oko zdrowe. Przez takie wątpliwości nie odzywałem się w Klubie Literatury Pięknej. Poprawiając zaś sprawozdania, nie ograniczałem się już tylko do poprawiania błędów językowych.

Bo nawet pisarze formatu Hidegkutiego Istvána, na przykład, nie zawsze przez cały boży dzień mają natchnienie. Pewne spostrzeżenia, zbyt trywialne w ustach subtelnych intelektualistów, sam przepisywałem z niesmakiem do sprawozdań, które wcale nierzadko trafiały do miesięcznego Przeglądu Literatury Pięknej, rozchodzącego się głównie w środowiskach akademickich. Powodowany troską o reputację twórców, pozwalałem więc sobie na zastępowanie pewnych głupstw duchowymi uniesieniami mojego autorstwa. Była to ryzykowna gra, bo jeśli moja interwencja nie byłaby zgodna ze smakiem autora, cała wina spadłaby na sekretarza. A stary Puskás, oskarżony o niedbałość, byłby gotów dla zachowania posady poświęcić moją osobę. Jakoś jednak panowie ci nigdy nie poskarżyli się na moje słowa, raczej bardzo szybko cytowali je, jakby rzeczywiście były ich własne: jak powiedziałem kilka dni temu... I przelotnie zerkali na staruszka, który cały się puszył i nawet przelotnie nie spoglądał w stronę mojego kąta. Ponieważ Puskás Sándor dysponował dużą ilością wolnego czasu, zaczął odwiedzać bibliotekę, gdzie cieszył się rosnącym autorytetem. I podczas sobotnich sesji siadał za stołem pomiędzy takimi sławami, jak prozaik Hidegkuti i poeta Kocsis Ferenc, za kulisami pozdrawiał go nawet mrukliwy Pan X. Co do mnie, teraz kiedy nie musiałem już oddawać pensji Krisce, mogłem podnająć bułgarskiego dźwiękowca do obsługi magnetofonu. I zająłem gabinet Puskása, pewien, że zajęcie przeze mnie jego krzesła nie wywoła sprzeciwu starego. Odbierałem tam telefony, czytywałem powieści, eseje, przeglądałem prasę, śledziłem informacje na temat lokalnej polityki, wiadomości kulturalne, kronikę sportową, a nawet ogłoszenia. Pewnego dnia przyszło mi do głowy, żeby dać ogłoszenie proponujące pisanie monografii, prac naukowych, przemówień i beletrystki w ramach Klubu Literatury Pięknej. Nie wiem, czy podawanie adresu klubu dla korzyści osobistych, by uprawiać niezależną działalność w ich lokalu, było etyczne. Wydawało mi się jednak nieprawdopodobne, by członkowie klubu, czytelnicy tak wyrafinowanych lektur, przeglądali ogłoszenia drobne; na wszelki wypadek, aby uniknąć problemów, podpisałem ogłoszenie nazwiskiem Puskás Sándor, sekretarz. I kazałem wytłuścić w druku słowo: bizalomgerjesztő, czyli zapewniam dyskrecję.

Ogłoszenie ukazało się w niedzielnym „Magyar Hírlap" i już w poniedziałek rano przyjąłem dwóch klientów: młodego studenta literatury i emerytowaną urzędniczkę ufarbowaną na rudo. Tej jednak szybko odmówiłem, ponieważ zamówiła u mnie poezję, czego nigdy w życiu nie pisałem; poza tym była osobą niedyskretną, chciała uchodzić za adresatkę wiersza, napisanego na papierze firmowym Klubu Literatury Pięknej. Chłopak z kolei zamówił u mnie dysertację w pięciu częściach na temat dialektu székely. Jako że temat ten nie był mi obcy, zapewniłem oddanie pracy w ciągu dwudziestu czterech godzin za cenę pięciu tysięcy forintów, bez pokwitowania. Prawdopodobnie najbardziej prymitywny spośród wszystkich węgierskich dialektów, székely jest używany na terenie wschodniej Transylwanii. Tak zaczynał się, pisany odręcznie w czystym zeszycie rozłożonym na hebanowym biurku starego Puskása, mój pierwszy tekst w języku węgierskim. Używany na terenie wschodniej Transylwanii székely jest prawdopodobnie najbardziej prymitywnym spośród wszystkich węgierskich dialektów. Spośród wszystkich węgierskich dialektów, székely, używany na terenie wschodniej Transylwanii, jest tym najbardziej prymitywnym. Prawdopodobnie najbardziej prymitywny ze wszystkich węgierskich dialektów... Zapadał wieczór, klub zamknięto, a moja praca nie posuwała się do przodu. Wróciłem do domu zdenerwowany, odmówiłem zjedzenia kolacji i zamknąłem się w spiżarni, którą teraz traktowałem jak osobiste biuro; włączyłem komputer, elektryczny piecyk, zapaliłem papierosa. We wschodniej Transylwanii... Odłożyłem na bok pisanie i zmusiłem się do codziennych zajęć, ze słuchawkami na uszach spisałem zawartość taśm, sprawdziłem teksty. Przygotowałem sprawozdanie, Kriska podśpiewywała w pokoju, a ja ciągle nie mogłem iść do łóżka, w grę wchodziła moja przyszłość zawodowa. Székely, prawdopodobnie najbardziej prymitywny ze wszystkich węgierskich dialektów... Niecały miesiąc wcześniej, przez przypadek, w kolejce po papierosy, pewien dziwny gość przede mną poprosił o paczkę facskë. Poprawiłem go: przepraszam, ale prawidłowa wymowa to fecske. On jednak upierał się facskë. Pokazałem mu reklamę, którą miał przed nosem, z rysunkiem jaskółki, przeliterowałem: to fecske, nie umie pan czytać? A on mruknął: facskë. Fecske. Facskë. Prawdopodobnie doszłoby do rękoczynów, gdyby nie interweniował sprzedawca papierosów; obydwaj mamy rację, ja ze swoją nienaganną budapeszteńską wymową i on z równoprawnym dialektem székely. Zbratałem się z wieśniakiem, zabrałem go do kawiarni na placu Czibor, postawiłem mu cztery czy pięć kolejek gorzałki i przyswoiłem sobie pewne cechy jego mowy. Potem chodziliśmy ulicami Pesztu, których on nie znał, zagraliśmy w kręgle, jedliśmy serdelki, w sex shopie rozkręcił się, zaczął mówić cycki, cipa i dupa w dialekcie. Poszliśmy dalej do centrum handlowego, namówiłem go na przejażdżkę ruchomymi schodami, wchodziliśmy do butików, kupił sobie ciemne okulary, dostał w promocji angielską czapkę, wypiliśmy piwo na tarasie widokowym i poczułem, że zaczynam mieć dość jego sposobu bycia. Zapłaciłem, wstałem, zjechałem ruchomymi schodami, a on za mną. Zachowywał się nieprzyjemnie, zaczął zbyt głośno mówić, wykrzykiwał cycki, cipa i dupa i mimo że w dialekcie, rozumieli to wszyscy wokół. Przeszedłem na drugą stronę ulicy wcale nie na pasach, a on za mną, wskoczyłem do taksówki i tam jeszcze słyszałem, jak mówi facskë, facskë, o mało co nie przytrzasnąłem mu palców drzwiami. Jednak ten epizod sprawił, że zacząłem się interesować różnymi dialektami węgierskimi. Wziąłem kilka książek z biblioteki i zebrałem nieco informacji na ten temat, nie podejrzewając nawet, jak szybko je wykorzystam. I choć moja wiedza lingwistyczna i antropologiczna była skromna, sądziłem, że dysponuję wystarczającymi środkami stylistycznymi, by poradzić sobie z wypełnieniem kolejnych części pracy akademickiej. A tymczasem we wschodniej Transylwanii... Paliłem papierosa za papierosem, próbowałem pisać o czymś innym, o czymś w zasięgu ręki, na przykład o paczce papierosów. Skreśliłem kilka linijek zainspirowanych paczką papierosów, nabrałem oddechu, poszedłem do przodu. Nawet zaczęło mnie to bawić, znajdowałem urok w niezwykłej formie mojego własnego pisania. Były to moje zdania, choć nie były zdaniami. Słowa były moje, lecz miały inny ciężar. Takie pisanie przypominało chodzenie po własnym domu, ale jakby w wodzie. Poczułem, że mój tekst prozą nabiera formy poezji. Nie umiałem pisać poezji, a jednak pisałem wiersz o jaskółkach. Wiem, że była to poezja, bo nie dawało się to tłumaczyć, chyba że na dialekt székely, gdzie w słowie jaskółka, facskë, brzmi ten sam szum skrzydeł, fecske. Skończyłem wiersz i wielokrotnie przeczytałem go na ekranie, po cichu, zadziwiony. Kiedy dostrzegłem poprzez dym postać Kriski, powiedziałem jej, że jestem szczęśliwym człowiekiem i zaraz, zaraz pójdę do łóżka. Kriska odpowiedziała, że na dworze już świeci słońce, a ja mam twarz szaleńca. Ugryzłem się w język, bo nie mogłem jej wyjawić, że kiedyś w moim ojczystym języku byłem pisarzem. Zresztą ona nie uwierzyłaby, że zostałem poetą języka węgierskiego, tak po prostu.

Podczas dyskusji w sobotnie wieczory sam zasiadałem przy konsolecie, żeby Kriska nie dowiedziała się o bułgarskim dźwiękowcu; z pewnością zapytałaby mnie, co robię całymi dniami. A ja wolne godziny marnowałem w gabinecie sekretarza, w oczekiwaniu na klientów zainteresowanych poezją. Swój jedyny wiersz, ten o jaskółce, napisany odręcznie na papierze firmowym klubu, nosiłem w kieszeni granatowego płaszcza. Miałem nadzieję, że sprzedam go emerytowanej urzędniczce, która kiedyś go zamówiła, i wypatrywałem jej znad konsolety w sobotnie wieczory. Szczególnie podczas prezentacji Kocsisa Ferenca, zasłużonego poety, uwielbianego przez wszystkie emerytki o rudych włosach. I choć widziałem całe ich gromady wśród publiczności, nie potrafiłem rozpoznać tej mojej. Siedziały tam dziesiątki kobiet oczekujących z otwartymi ustami na Kocsisa Ferenca i wspólnie towarzyszących słowom jego wierszy, jak chór w antycznej tragedii. Wiersze te nawet ja znałem na pamięć, bo Kocsis Ferenc w kółko je powtarzał. I zamykał odczyty swoim samograjem, poematem epickim, który emerytki deklamowały crescendo, kończąc wersem: egyetlen, érintetlen, lefordíthatatlan! Miałem wrażenie, że te słowa znam z odległych czasów, zanim jeszcze poznałem ten język; sam

Kocsis przypominał mi pewnego węgierskiego poetę, którego widziałem kiedyś w Brazylii, przed wieloma laty. Jednak poza znamionami upływu czasu inne jeszcze ślady spustoszenia dzieliły tamtego dumnego poetę od tego człowieka o mętnych oczach. Współczułem mu w te sobotnie wieczory, bo publiczność – poza kobietami o rudych głowach – nie przyjmowała go dobrze. Kiedy tylko zapowiadano jego nazwisko, słychać było cmokanie na sali. Obraźliwe komentarze padały na końcu recytowanych przez niego wersów, a osoby młodsze lub bardziej oczytane, tak jak Kriska, wychodziły w środku odczytu. Koledzy przy stole zerkali na siebie, szeptali, śmiali się pod nosem, a Pan X, stale obecny za kulisami, dawał mi znak, żebym zatrzymał nagranie, które i tak sam już zatrzymałem. Również klimat w bibliotece w ciągu tygodnia nie sprzyjał Kocsisowi Ferencowi, być może dlatego, że Pan X nie darzył go łaskami. W kręgu Klubu Literatury Pięknej Pan X miał duże wpływy, choć był człowiekiem małomównym, bez opublikowanych utworów, z tego co wiedziałem. Każdego słuchał z zainteresowaniem, a przynajmniej z cierpliwością, lecz kiedy wypowiadał się Kocsis Ferenc, patrzył w ziemię i kręcił głową. To wystarczało, żeby poeta tracił wątek, a jego i tak zawiłe myśli pozostawały w zawieszeniu, więc rzadkie wystąpienia wycinano z ostatecznej wersji sprawozdań. Ostatnio zresztą, kiedy przychodził do klubu, wchodził do biblioteki jedynie po to, żeby podpisać księgę gości, potem wychodził i kręcił się po korytarzach. Mówił do siebie, sylabizował słowa z pamięci, a pewnego dnia wdarł się zdyszany do gabinetu. Papier, domagał się ode mnie natychmiast papieru, a ja niewiele myśląc, podałem mu nowy zeszyt, który kupiłem do pisania moich przyszłych wierszy. Usiadł naprzeciwko mnie, po drugiej stronie hebanowego biurka, na krześle przeznaczonym dla moich klientów. Otworzył zeszyt, wyjął z kieszeni staroświeckie pióro, z trudem zdjął skuwkę, jego dłoń drżała, drżała, jakby już w powietrzu gorączkowo pisał. Kiedy tylko jednak postawił pióro na papierze, jego ręka znieruchomiała, nie pojawiło się żadne słowo. Spojrzałem w twarz poety, zobaczyłem krople potu spływające mu po zmarszczonym czole, ujrzałem żółte zęby, pomyślałem, że poeta się śmieje, ale tylko grymas pojawił się na jego twarzy. Potem nerwy mu puściły, ramiona opadły, całe ciało się rozluźniło, pióro wypadło mu z ręki i pobladłymi wargami Kocsis Ferenc powiedział: przepadło. Wyszedł powoli, nie mówiąc ani słowa więcej, zresztą cóż miał mówić, zapewne nawet nie wiedział, kim jestem. Jednak, jakkolwiek by na to patrzeć, zainaugurował mój zeszyt poezji. Postawił czarną kropkę na górze pierwszej strony, tam gdzie wylądowało jego pióro. I zaczynając od tej kropki, napisałem pierwszy wers, potem następny, potem jeszcze jeden. Przeczytałem moje trzy wersy i stwierdziłem, że jestem zadowolony, być może to właśnie były te słowa, których Kocsis Ferenc poszukiwał przez lata. Następnego dnia napisałem nową strofę złożoną z trzech wersów, które Kocsis z pewnością też chciałby napisać. Trzy wersy z następnego dnia osiągnęły, moim zdaniem, naprawdę wysokie loty, choć jeszcze przypominały z daleka styl Kocsisa Ferenca. Od tego czasu, każdego dnia tworzyłem strofę lepszą niż onegdaj i zapisałem cały zeszyt poezji wierszami, o których napisaniu Kocsis Ferenc mógłby tylko śnić. Oczyma wyobraźni zobaczyłem jego zadziwienie, kiedy ujrzy to dzieło podpisane jego nazwiskiem, i postanowiłem, wzruszony, nie domagać się zapłaty za pracę, która prawdę mówiąc, nie kosztowała mnie wiele wysiłku. Pewnego poranka śledziłem jego kroki na korytarzu, wreszcie zobaczyłem, że wchodzi do toalety. Sikaliśmy, stojąc obok siebie, a potem bez słowa oddałem mu zeszyt z obszernym poematem, zatytułowanym *Három-soros versszakok*, czyli *Tajemne tercyny*.

Języka węgierskiego nie można nauczyć się z książek. Co powiedziałeś? Języka węgierskiego nie da się nauczyć z książek, powtórzyłem wprost do ucha Kriski. Przypomniałem jej pierwsze zdanie, jakie do mnie powiedziała podczas naszego pierwszego spotkania, w tej samej księgarni. Kriska nie od razu zrozumiała, potem szepnęła mi coś, na co nie zwróciłem uwagi, bo starałem się śledzić cichą rozmowę pary za nami. Promocja *Tajemnych tercyn*, mimo że przyciągnęła mnóstwo ludzi, przebiegała w dostojnej atmosferze. Kwartet smyczkowy grał na półpiętrze i niełatwo było wyłowić jakieś słowo w rozgwarze ludzi, którzy się rozpychali, pokazywali, dotykali, kartkowali książkę i rozmawiali o niej po kątach. Filmowcy kręcili dokument o Kocsisie Ferencu, a kolejka po autograf nie malała. Zawsze kiedy podchodził do stołu jakiś artysta lub znana piękność, Kocsis podnosił się, podawał rękę, znów siadał, podnosił się, podawał rękę, znów siadał, i tak w kółko, żeby scenę sfilmowano w różnych ujęciach. Co chwila wchodził jakiś minister czy senator, oficjalne delegacje przerywały kolejkę, która cofała się, a my lądowaliśmy pod markizą na ulicy. Zbuntowałem się, kiedy zaczęliśmy moknąć w deszczu, to nie do pomyślenia, żeby wydarzenie kulturalne tej rangi zmieniło się w bankiet dla uprzywilejowanych. Kriska poprosiła, żebym mówił ciszej, ale sąsiedzi z kolejki poparli mnie, kiwając potakująco głowami. Nie, Fülemüle Krisztina, to niesprawiedliwe, żeby na dworze mokli prawdziwi miłośnicy literatury. Tego wieczoru poczułem, że moja znajomość węgierskiego osiągnęła doskonałość, może mówiłem nieco zbyt nosowo, jakbym wywodził się ze starej rodziny z Budy, różne osoby jednak podchodziły uścisnąć mi dłoń. Chodź ze mną Fülemüle Krisztina, dosyć tego cofania się w zimnym kapuśniaczku. Pociągnąłem ją za rękę i nie przejmując się obelgami, wszedłem do księgarni, gdzie rozepchnąłem tłum oblegający stół. Poeto, krzyknąłem, wymachując swoim egzemplarzem, nie zaszczycisz mnie nawet autografem? Wyłącz kamerę, krzyknął reżyser filmu, zgasły reflektory, a jakiś nudziarz zapytał mnie: za kogo ty się uważasz? Zapytaj poetę, marna istoto, powiedziałem, a Kocsis Ferenc dał znak, by pozwolono mi przejść. Położyłem książkę na stole, trudno mu było ją podpisać, jego ręka drżała nad białą stronicą. Dla Zsoze Kósty, powiedziałem, nie mów, że zapomniałeś, jak się nazywa twój sługa uniżony. Dla Zsoze Kósty, z serdecznościami, K., taką dedykację mi napisał. Zaraz potem wziąłem egzemplarz z rąk Kriski: a ten dla mojej ukochanej, nazywa się Fülemüle Krisztina. Odwróciłem się do filmowców: proszę bardzo, panowie, nie krępujcie się, można filmować moją piękną małżonkę. Daj spokój, Kósta, powiedziała Kriska, ale reflektory rozbłysły i Kocsis Ferenc trzy razy podniósł się, żeby się z nią przywitać, potem zadedykował jej książkę: dla Fülemüle Krisztiny, z serdecznościami, K. Chciałem trochę się nacieszyć bankietem, posłuchać skrzypiec, wypić kilka drinków, spróbować kanapek, ale Kriska była niespokojna, wyszła z księgarni w poszukiwaniu taksówki. Przekonałem ją, żebyśmy wracali do domu pieszo, deszcz przestał padać i była to pierwsza przyjemna noc tej wiosny. Idąc aleją Bozsika, pomiędzy wypuszczającymi liście brzozami, nie mogłem się oprzeć i zacząłem recytować początkowe strony tomu, które – z okularami na nosie – udawałem, że czytam. Byłem pewien, że Kriska jest zachwycona tercynami *Ptasiego prologu*, w którym słowa naśladowały poranne trele węgierskich ptaków. Rzeczywiście, słuchała mnie w takiej ciszy, że postanowiłem kontynuować poemat, przynajmniej do *Symfonii nimfomanek*, przy której, jak liczyłem, uda mi się wydobyć z niej drwiący śmiech. Ona jednak wcale się nie śmiała, może dlatego, że deszcz znów zaczął padać i zmusił nas do przyspieszenia kroku. Przy szybszym marszu równocześnie przyspieszyłem lekturę, ze szkodą dla interpretacji. Blisko domu deszcz zgęstniał i schroniliśmy się pod topolą. Na szczęście, bo poemat zbliżał się do punktu kulminacyjnego i mogłem teraz recytować go z odpowiednią modulacją głosu. Ze ściśniętym gardłem wyrecytowałem tercyny finałowe, *Lustrzane zmierzchy*. Zamknąłem książkę, która, cała nasiąknięta, rozpadała mi się w rękach, i spytałem Kriskę: jak ci się podoba? Tak sobie, powiedziała. Jak to, tak sobie? Spojrzała na ulicę pełną kałuż, na deszcz, który nie słabł, i zdecydowała: idziemy; zdjęła buty na obcasach i ruszyła biegiem, trzymając je w ręce. Jak to, tak sobie? zapytałem, wchodząc do domu, a Pisti, który palił, leżąc na kanapie, oprotestował nasz późny powrót, bo umierał z głodu. Kriska poszła do kuchni, a ja przebierając się, rozpamiętywałem owo tak sobie. Jak to, tak sobie? zapytałem przy kolacji. Takie jest moje zdanie, to wszystko. Twoje zdanie! Co może rozumieć z literatury kobieta, która przez całe życie tylko czyta opowieści idiotom? Kriska przełknęła jedzenie, wypiła łyk wina, nic nie powiedziała. Nie miej mi za złe, kochana Krisko, ale zapewniam cię, że nasz Pisti jest bardziej wrażliwy na poezję Kocsisa Ferenca niż ty. Otwarłem książkę i zadeklamowałem Pistiemu *Rapsodię diaspory*, z pewnością jedną z najwspanialszych tercyn. I co powiesz, Pisti? A Pisti odpowiedział: zabójcze, który to przymiotnik w żargonie węgierskiej młodzieży stosuje się do rzeczy wyjątkowych, tak pozytywnie, jak i negatywnie. Zabójczo dobre czy zabójczo złe? Zabójczo takie sobie, powiedział Pisti. Tego już było za wiele, powołałem się na wstęp do tomu, napisany przez profesora Buzanszkyego Zoltána, mówiłem o zachwytach nad Kocsisem Ferencem, jakie słyszałem w kolejce po autograf. Posłuchaj, Kósta, niektórzy lubią egzotykę. Jak to, egzotykę? Ten poemat wcale nie wydaje się węgierski, Kósta. Co ty mówisz? Wydaje się, że ten poemat wcale nie jest węgierski, Kósta. Mniej zabolały mnie jej słowa niż naiwność, z jaką Kriska je wypowiedziała. Dodała jeszcze: jest napisany jakby z obcym akcentem, Kósta. Zdanie to powiedziała niemal śpiewnie, przez co kompletnie straciłem głowę. Chwyciłem talerz z makaronem i walnąłem nim o ścianę. Talerz roztrzaskał się, na ścianie została papka pomidorowa z mielonym mięsem i sporą ilością lepiących się klusek, bo Kriska nigdy nie potrafiła na czas odstawić makaronu. Mój gest był gwałtowny, nie dość jednak, bym się uspokoił. Musiałem jeszcze spojrzeć jej w twarz i powiedzieć, że nienawidzę spaghetti po bolońsku. Zapadła cisza, w końcu Pisti popatrzył na ścianę i powiedział: zabójcze. Kriska wstała, powoli poszła do kuchni, wróciła ze szczotką, łopatką, wiaderkiem wody, szmatą, denerwował mnie jej widok, kiedy tak stała przykucnięta, jakby sikała, w mokrym od deszczu ubraniu, z którego krople spadały na podłogę. Pozbierała skorupy, jedzenie spod chodaków, zebrała gęste resztki ze ściany, poszła do kuchni, wróciła z gąbką. Wycierała ścianę szerokimi ruchami, celowo rozmazując czerwoną plamę, i zrozumiałem, że w tym domu nie ma już dla mnie miejsca.

Mój dobytek zmieścił się w podręcznej walizce, na niebie świeciły gwiazdy, poszedłem w kierunku centrum miasta. Jednak jeszcze daleko przed śródmieściem znalazłem skromnie wyglądający hotel, nad wejściem miał umieszczony napis z metalowych liter: hotel Zakariás. Uderzyłem w dzwonek na ladzie w recepcji, tablica cen głosiła, że jednoosobowy pokój kosztuje cztery tysiące forintów. Obliczyłem, że mogę tam mieszkać przeszło miesiąc, bo Kocsis Ferenc uparł się, by mnie wynagrodzić za pracę, dał mi dwieście tysięcy forintów, żeby mi zamknąć usta. Już miałem ponownie dzwonić, kiedy pojawił się staruszek poprawiający szelki. Poprosił mnie o dokumenty w straszliwym angielskim, powiedział Mister Costa, Mister Costa, pogrzebał w szufladzie, powiedział yes, oczekiwano pana od środy. Dał mi klucz do pokoju siedemset trzynaście i plastikową kartę, gdzie było wydrukowane nazwisko Mr. Costa i pod spodem Brasil. Byłem oszołomiony, spojrzałem na moją kartę, na staruszka, a on poinformował mnie, że konferencja odbywa się w podziemiu. Wtedy dotarło do mnie, że budapeszteński hotel Zakariás gości doroczne spotkanie anonimowych autorów. Nigdy więcej nie próbowałem nawiązać z nimi kontaktu, z jakiegoś powodu nie czułem się ich godny, i wzruszyłem się, widząc, że mimo wszystko ciągle o mnie pamiętają. Zszedłem po schodach i kiedy otworzyłem drzwi na końcu korytarza i wszedłem do sali bez okien, z krzesłami ustawionymi w rzędy, jakieś trzydzieści głów zwróciło się w moją stronę. Od razu rozpoznałem te twarze i przeszedł mnie dreszcz. Nie widziałem ich od czasów Istambułu, sam nie wiem ile lat, i gdybym zatrzymał wzrok na każdej z nich, mógłbym wyraźnie ocenić upływ czasu. Ale gdy zobaczyłem je wszystkie naraz, trochę się przeraziłem, w jednej chwili wszystkie wydały mi się zgrzybiałe. Twarzy, które pamiętałem jako zgrzybiałe, już tam nie było, za to twarzy człowieka stojącego po przeciwnej stronie sali, ni to młodego, ni starego, obojętnego na moje pojawienie się, nie odnalazłem w odległej pamięci. To była twarz z teraźniejszości, więc w sali pełnej ludzi z przeszłości trudno mi ją było rozpoznać. Tekst, czytany po węgiersku, choć nie słyszałem początku, też nie był mi obcy. Przypominałem sobie słyszane zdania, ale nie wiedziałem, skąd pochodzą, tak jakbym był w znanym sobie domu, choć obcym z zewnątrz. Dużo wysiłku kosztowało mnie odtworzenie tej historii, która, jak mi się zdawało, była o garbatym psychoanalityku, w opowiadaniu zatytułowanym, jeśli się nie mylę, *Przesłuchać króliki*. A tekst był czytany nie przez kogo innego jak samego Pana...; miał schrypnięty głos, nie byłem pewien, ale chyba nie słyszałem go nigdy wcześniej. Był to głos odpowiedni do noweli pełnej makabrycznych pomysłów, na które słuchacze, ze słuchawkami w uszach, nie reagowali. Za to dalej, przy jakimś banalnym ustępie, robili ooooh, bo nawet najlepszy tłumacz nie jest w stanie oddać języka węgierskiego w przekładzie symultanicznym. Około pół tuzina tłumaczy siedziało z całym sprzętem w ostatnim rzędzie, gdzie usiadłem również ja, żeby nie zakłócać sesji. I kiedy Pan X zakończył lekturę noweli, słyszałem pogłos jej tragicznego zakończenia jeszcze przez minutę, w sześciu różnych językach. Potem publiczność wybuchnęła owacjami, uzupełnionymi gromkim śmiechem, kiedy Pan X wymienił nazwisko rzekomego autora, Hidegkutiego Istvána, i podał listę nagród przyznanych wybitnemu noweliście. Ja też biłem brawo, przez grzeczność, choć szczerze mówiąc, nie robiła na mnie wrażenia proza Hidegkutiego czy też Pana X. Jest też prawdą, że od pewnego momentu przestałem uważnie słuchać, bo nowela była rozwlekła, a ja już zacierałem ręce, żeby dorwać się do mikrofonu. Jednak Pan X nie zamierzał wypuścić go tak szybko; potrząsając czarną czupryną, zabrał się do czytania fragmentów swoich powieści, utworów dramatycznych, dzieł przypisywanych najróżniejszym autorom, uspokoiło mnie jednak, że nie było wśród nich żadnego poety. Zdartym niemal głosem zakończył swoją prezentację garścią znakomitych krytyk tychże dzieł, opublikowanych w prasie pod nazwiskiem wybitnego profesora Buzanszkyego Zoltána, a publiczność zgotowała mu owację na stojąco. I zanim ktokolwiek wziął do ręki mikrofon, wyjąłem z walizki swoją książkę i wielkimi krokami przeszedłem przez salę. Stanąłem obok Pana X, który miał w klapie identyfikator z napisem Pan X, Hungary, i poczekałem, aż zbierze stos swoich książek oprawionych w skórę. Dopiero wtedy zobaczył mnie, rozpoznał i stos oparty na piersi o mało co się nie rozsypał; przytrzymał książki brodą, zmierzył mnie od stóp do głów, mimo że był sporo ode mnie niższy. Usiadł na krześle z boku, dwa sąsiednie zawalił swoimi książkami, i widząc w moich dłoniach mokrą książkę, bezkształtną, pozbawioną okładki, rozparł się na siedzeniu, z wyciągniętymi nogami. Zesztywniał jednak, kiedy zapowiedziałem *Tajemne tercyny*, poemat mojego autorstwa, przypisywany zasłużonemu poecie Kocsisowi Ferencowi, ze wstępem wybitnego profesora Buzanszkyego Zoltána. Zamierzałem czytać, nie czytałem jednak wstępu autentycznego Buzanszkyego, którego styl – dużo lepszy niż Pana X – mógłby go upokorzyć. Wolałem jednak upokorzyć go poezją, sztuką, której nie znał, co powodowało dużo większe cierpienie, bo nie wiedział, gdzie go boli. Deklamowałem powoli, niektóre słowa wręcz sylabizowałem dla czystej przyjemności patrzenia, jak wierci się na krześle. Robiłem długie pauzy, zapadały chwile ciszy, na które pozwala sobie tylko poeta, a on spuszczał głowę, rozglądał się na boki, patrzył na swój stos książek, znów, jakby chciał wyjść z sali, ułożył go na piersi. Ale to ja byłem górą, wypowiadałem moje tercyny, deklamowałem właśnie *Apoteozę poetów* i wiedziałem, że będzie siedział aż do końca.

Nie przywiązywałem uwagi do pozostałych słuchaczy, jedni ocierali łzy, innych wszystko bawiło, jeszcze inni wpatrywali się w tłumaczy na końcu sali, którzy wydawali się odchodzić od zmysłów, stojąc przed niewykonalnym zadaniem przełożenia węgierskiego poematu, wyobrażam sobie, że każdy wygadywał, co mu ślina na język przyniosła. Ale cały mój występ był dla Pana X, i jemu ukłoniłem się, kończąc wiersz, pośród braw i gwizdów. Wesoło przeszedłem przez salę, winda była zepsuta, energicznie wbiegłem po schodach, słabnąc przy trzecim półpiętrze. Wieki trwało, zanim dotarłem z walizką w ręce na siódme piętro, sapiąc i przytrzymując się ścian. Niecierpliwie wszedłem do pokoju, zaraz potem do łazienki, wsunąłem palec do gardła, ale nie zjadłem kolacji, nie miałem więc czym wymiotować. Położyłem się, zatęskniłem za Kriską, telefon w pokoju był zablokowany. Pomyślałem, żeby wrócić do domu, ale nie miałem sił, nie miałem już kluczy, w głowie mi się kręciło, po głowie krążyły mi słowa poematu, a ja nie chciałem więcej słyszeć o żadnych wierszach; na szczęście była już późna noc. W górze okien zaczęła się pojawiać słaba jasność, kiedy usłyszałem pukanie do drzwi. Niezbyt przytomny wstałem, sądząc, że przynoszą mi śniadanie, byłbym gotów uścisnąć kelnera, ucałować go w policzki, umierałem z głodu, połknąłbym siedem bułeczek z dyni bez przeżuwania. Ale w korytarzu stał korpulentny mężczyzna, który przedstawił się jako agent Grosics, z Policji Federalnej. Zapytał, czy jestem panem

Zsoze Kósta, pracującym w Klubie Literatury Pięknej, zażądał ode mnie paszportu. Przejrzał go, spytał, czy nie mam innych dokumentów, może wizę pobytową, pozwolenie na pracę, uprzytomnił mi, że moja sytuacja jest niezgodna z prawem. Poprosił o mój bilet lotniczy, ale nie zachowałem go, był mi niepotrzebny, przyjechałem na Węgry z biletem w jedną stronę. Polecił, żebym się skontaktował z ambasadą, jeśli nie mam pieniędzy na podróż; miałem czterdzieści osiem godzin na ostateczne opuszczenie węgierskiego terytorium.

Błąkałem się po ulicach Pesztu z walizką w ręce, do czasu, kiedy linie lotnicze zaczęły otwierać swoje biura. Obsługująca mnie urzędniczka marnie dawała sobie radę z węgierskim, lecz za pomocą francuskiego przekonałem ją, by zarezerwowała mi wylot na niedzielne popołudnie. Zaraz potem przeraziłem się, że mówię po francusku. I z jeszcze większym przerażeniem, potem ulgą, a na końcu niemal z radością przyjąłem fakt, że się żegnam z językiem węgierskim. Guanabara, mruknąłem, Corcovado, Pão de Açúcar. Powiedziałem arrivederci, na środku ulicy zacząłem mówić po niemiecku, przypomniałem sobie nawet kilka słów po turecku. Na oślep skubałem słowa z języków, które kiedyś znałem, to tu, to tam, tak jak facet, którego opuściła narzeczona, wychodzi i odwiedza swoje byłe dziewczyny. Do taksówkarza zwróciłem się po angielsku, pozwalając, by mnie wziął za nierozważnego turystę i jeździł w kółko na ulicę Tóth; nie wiedziałem, jak w Budapeszcie w ciągu półtora dnia wydać tych niewiele forintów, które mi jeszcze zostały. Mógłbym pojechać od razu na lotnisko i tam koczować, pić kolejne drinki, spędzić czas w sklepach bezcłowych, drzemać w sali wylotów, ale pojechałem do Kriski się pożegnać, żeby zostawić po sobie wspomnienie nieco lepsze niż talerz rozbity na ścianie. Kiedy wjechałem w naszą ulicę, z daleka już zobaczyłem kolonię bliźniaków, i między dziesiątkami identycznych domów rozpoznałem spadzisty dach, który mnie chronił przez tyle lat. I przypomniałem sobie Kriskę na progu, kiedy powitała mnie tutaj pierwszy raz: Zsoze Kósta... Zsoze Kósta... I w myśli odpowiedziałem: już przychodzę częściowo, piękna, biała, papierosy Fecske, stół, kawa, wrotki, rower, okno, piłeczka, radość, jeden, dwa, trzy, dziewięć, dziesięć, i oprzytomniałem; nauczenie się języka węgierskiego było zabawą, trudno mi jednak będzie wymazać go z pamięci. Poczułem dreszcz, wyobrażając sobie, że już wkrótce, z dala od Kriski i jej kraju, wszystkie węgierskie słowa będą równie bezużyteczne jak obce monety w kieszeniach po powrocie z podróży. Poprosiłem taksówkarza: proszę mnie zostawić po prawej, zaraz za tą starą ciężarówką, pod osiemdziesiątym czwartym. Spojrzał na mnie zdziwiony, nie dlatego, że nagle zacząłem mówić po węgiersku, ale że tak banalne zdanie wypowiedziałem ze ściśniętym gardłem. To ja, powiedziałem cicho do domofonu, i po jakimś czasie Pisti mnie wpuścił. Drzwi do mieszkania były otwarte, pokój pusty, zerknąłem na ścianę, która na pierwszy rzut oka wydawała się nieskalana. Z bliska jednak widoczne były czerwone i brązowe resztki na nierównej powierzchni. Kriska siedziała na łóżku, przy zamkniętych oknach, ukośne światło spod abażuru uwydatniało jej kości policzkowe, nadawało orientalny wygląd. Podszedłem ostrożnie, usiadłem obok, po chwili wziąłem ją za rękę; nic nie mówiła, ja też nie wiedziałem, co powiedzieć. Rozluźniłem się i wyciągnąłem na łóżku, położyłem głowę na jej podołku i nagle wstrząsnął mną spazm, poczułem nagły brak tchu, wrażenie duszności, łkałem jak chrząkający wieprz i dobrą chwilę nie mogłem zrozumieć, co się ze mną dzieje. Oczy napełniły mi się wilgocią, mokre były moje policzki, cała twarz, bluzka Kriski, zacząłem ssać bluzkę Kriski, żeby sprawdzić, jaki smak mają łzy. A Kriska mówiła, to nic, to nic, już wszystko dobrze, myśląc, że płaczę z powodu zniszczenia ściany. Niedługo pomalujemy, powiedziała, i czubkami paznokci dotykała mojej łysiny, i mówiła, śpij, śpij, śpij. Obudziłem się, kiedy Kriska odsłoniła okno w sypialni, a na zewnątrz świeciło słońce. Miała na sobie bermudy i powiedziała, że wysłała Pistiego na weekend do ojca. Otworzyła moją walizkę, rozłożyła na łóżku zmięte ubrania, podała dżinsy. Pożyczyła mi koszulkę Pistiego, zielono-białą, z dziewiątką, numerem środkowego napastnika Ferencváros, która podkreślała mój brzuch. Przygotowała koszyk z serami i winem, zaplanowała, że spędzimy popołudnie na Wyspie Małgorzaty.

Wiał silny wiatr na Wyspie Małgorzaty, obrus się zwijał, odfruwały papierowe serwetki, a Kriska się śmiała. Odlatywał jej słomkowy kapelusz, a ona pokazywała palcem na moją głowę i rozwiane rzadkie włosy, zaśmiewając się do rozpuku. Poszliśmy do domu przebrać się, odprasowała mój granatowy garnitur, sama włożyła różowy kostium. Był sobotni wieczór, ale do klubu nie poszedłbym za skarby świata. Na szczęście sama zaproponowała, żebyśmy wyszli potańczyć, nic nie szkodzi raz w życiu zrobić sobie wolne, a poza tym... Chciała powiedzieć, że poza tym oszczędzimy sobie słuchania tercyn Kocsisa Ferenca. Poza tym to nasza rocznica bycia razem, wymyśliła na poczekaniu. Trafiliśmy na dancing z obrotowym parkietem, tańczyliśmy, aż nam odpadały nogi, potem poszliśmy na pizzę na stare miasto i zabrałem z restauracji butelkę tokaju. Chodziliśmy objęci, włóczyliśmy się bez celu, na moście potwornie wiało i cały Dunaj był pomarszczony. Wypiliśmy tokaj u niej na kanapie, śpiewając w duecie rozdzierającą balladę córki Sinobrodego. W sypialni rozebrała się przy zgaszonym świetle i powiedziała: chodź. Położyłem się na niej i nawet w ciemności widziałem jej twarz, lubiłem patrzeć na jej rozkosz, błędny wzrok, jakby nie wiedziała, gdzie właściwie jest. Kiedy usnęła, próbowałem ją reanimować, potrząsnąłem ją, poprosiłem, żeby coś powiedziała, co mam mówić? Cokolwiek... Jutro pomalujemy ścianę... wymamrotała. Nie zasnąłem, z uwagą patrzyłem na fosforyzujące wskazówki budzika. Wypaliłem swoje papierosy, wziąłem paczkę Kriski i je też skończyłem. Około południa wstałem, wykąpałem się i ubrałem, Kriska spała zupełnie naga, a w półmroku jej ciało wyglądało tak samo jak wtedy, gdy się poznaliśmy. Zebrałem rozrzucone ubranie z dywanu, z powrotem wepchnąłem je do podręcznej walizki i zamknąłem ją. I znów ją otwarłem, zasuwałem i rozpinałem suwak wiele razy, bo obudzenie Kriski metalicznym dźwiękiem wydawało mi się uczciwsze, niż gdybym łagodnie wypowiedział jej imię. Kriska zapaliła lampę, wyskoczyła z łóżka, spojrzała na mnie, spojrzała na walizkę, spojrzała na mnie, a ja ją pożegnałem. Powiedziałem, że wyjeżdżam do Rio de Janeiro, do Brazylii, nie powinienem jej mówić niczego więcej. Patrzyła mi w oczy, ale nie powiedziałem jej, że zostałem wydalony z kraju. Nie powiedziałem jej, że pewien policjant zaskoczył mnie rano w ponurym hotelu, zapewne z powodu anonimowego donosu. Nie mogłem jej zdradzić nazwiska anonimowego pisarza zazdrosnego o moje wiersze, któremu stawiłem czoło na tajnym spotkaniu anonimowych pisarzy. I za nic w świecie nie wyznałbym jej, że ja też jestem anonimowym pisarzem, autorem tomu wierszy, które na dodatek ona sama uważa za takie sobie. Stałem bez ruchu, pozwalając jej myśleć, co tylko chciała, czekałem, że splunie mi w twarz albo podrapie policzki, a potem wbije mi te swoje paznokcie w oczy i wydrapie je, wszystko zniosę. Kriska jednak nie podniosła ręki, wolała mnie nie dotykać. Nabrała głęboko powietrza, żeby coś powiedzieć i poczułem, że jednym słowem wyrządzi mi największą krzywdę. Jednym tylko słowem Kriska zawstydzi mnie całkiem, okaleczy, sprawi, że do końca życia będę się uginał pod ciężarem wyrzutów sumienia. To słowo miała na drżących wargach, musiało to być takie słowo, jakiego nigdy wcześniej nie miała odwagi wypowiedzieć. Musiało to być jakieś archaiczne słowo, utworzone z okrzyku, jaki wydaje nocny ptak, słowo, które wypadło z użycia, tak było straszliwe. Musiało to być jedyne słowo, jakiego nie znałem w całym węgierskim słownictwie, musiało być nadzwyczajne. Nie opanowałem się i powiedziałem błagalnie: mów! Kriska nic nie powiedziała. Wypuściła całe powietrze, pokiwała głową, wróciła do łóżka, położyła się na boku i zgasiła światło.

Przy szumie spokojnego morza

Wczesne ranki były odpowiednią porą na spacery wzdłuż brzegu, najchętniej w gęstej mgle, przy szumie spokojnego morza. Majaczyły zapalone światła samochodów w alei, nikt nie trąbił, nikt nie trąbi przy braku widoczności. Chodziłem miarowym krokiem, sporadycznie przyspieszając, bo nie lubiłem, kiedy ktoś się ze mną zrównywał. Idący z przeciwka tylko się pojawiali i zaraz mnie mijali, a z nimi pojedyncze słowa, kawałki słów. Później mgła rzedła, przecierało się i góry wychodziły zza chmur, jakby miasto chciało odsłonić swoją skórę. Tymczasem napotykane osoby, bez względu na to jak głośno by się śmiały i jak bardzo by kołysały ciałem, wydawały mi się nieodpowiednie do tej nierzeczywistej atmosfery. Czasami wydawało mi się, że to statyści w filmie, chodzący w tę i z powrotem albo pedałujący na ścieżkach rowerowych zgodnie z poleceniami reżysera. Dziewczyny na wrotkach musiały być zawodowcami, dzieciaki na ulicy na pewno dostają honoraria, za kierownicami samochodów siedzą dublerzy, wyczyniający dziwne rzeczy na nadmorskiej alei. Myślę, że zachowałem fotograficzne wspomnienie miasta, a teraz wszystko, co ruszało się na tamtym zapamiętanym tle, wydawało mi się sztuczne. W końcu siadałem na ławce nad brzegiem morza i przypatrywałem się statkom; nawet ocean w mojej pamięci był nieruchomy. Moje zamyślenie zwykle nie trwało jednak długo, bo często bywało, że dosiadał się jakiś darmozjad i zaczynał drążyć dowolny temat, nie podejrzewając, że jego agresywne gadanie zapiera mi dech w piersi. Dotykał mojego ramienia, kolana, zapewne brał mnie za kogoś innego, odnosił się do wydarzeń, w których miałem uczestniczyć, wymieniał osoby, które jakoby były mi znane. Inny z kolei miał przy sobie gazetę i dzielił się uwagami na temat nagłówków, odnoszących się do zdarzeń i nazwisk, które też nic mi nie mówiły. Popatrz na tych zbrodniarzy, i pokazywał mi zdjęcie dwóch ciał leżących na asfalcie, Murzyna i Mulata. Patrzyłem na zdjęcie, odwracałem wzrok ku plaży, na dziewczyny grające w siatkówkę, znów patrzyłem na zdjęcie, gruby Murzyn i długi Mulat, bez głów. Zbrodnia w mleczarni, pamiętasz ich? na pewno, tak, jasne, popatrz, to oni. Potrzebowałem czasu, żeby rozeznać się we wszystkich sprawach i już pierwszej nocy w Rio wyszedłem posłuchać rozmów na ulicy, nie rozumiejąc, o co w nich chodzi, na koniec wszedłem do pijalni soków pełnej młodych ludzi. Tam przez kilka sekund miałem wrażenie, że wylądowałem w kraju, gdzie mówi się nieznanym językiem, co dla mnie zawsze było przyjemnym uczuciem, jakby życie miało się zacząć od zera. Potem rozpoznałem brazylijskie słowa, mimo to język, którego słuchałem, był niemal nowy, nie z powodu jednego czy drugiego świeżego powiedzonka, zniekształcenia, pomyłek gramatycznych. Tym, co przyciągnęło moją uwagę, było zupełnie nowe brzmienie; w języku mówionym istnieje jakiś rodzaj metabolizmu, który jedynie nieprzyzwyczajone uszy są w stanie dostrzec. Jakby obca muzyka, która nagle zaskakuje podróżnego, kiedy po długiej nieobecności otwiera drzwi do pokoju. I w pijalni soków odbywałem najdalszą z podróży, bo całe lata dzieliły mój język, taki, jakim go pamiętałem, od tego, który teraz słyszałem, doznając smutku i oszołomienia. Mimochodem oparłem się o ladę, zacząłem przybliżać się do dwóch najbardziej gadatliwych chłopaków, spoglądałem na nich kątem oka, i pewnie to się im nie spodobało, bo nagle zamilkli i spojrzeli mi prosto w twarz. Byli to muskularni młodzieńcy o ogolonych głowach, pokryci licznymi tatuażami, jeden miał gady wpełzające mu po ramionach, nagi tors drugiego pokrywały swoiste hieroglify. Z otwartymi ustami przeżuwali kanapki, przyglądali mi się z pogardą, kto wie, może myśleli, że jestem pedałem. Udawałem, że niby nic, zacząłem się przyglądać owocom wystawionym w sklepie, potem powoli wyszedłem, usłyszałem za plecami stukot podbitych butów, przyspieszyłem. Niedaleko rogu pomyślałem, że już się mną nie zajmują, rzeczywiście, kiedy obejrzałem się za siebie, stali spokojnie przy motocyklu. Zapewne moje spojrzenie w tył znów ich rozzłościło; musieli być skinheadami lubiącymi czasem skopać gejów. Usłyszałem ryk motocykla, skręciłem w przecznicę z zakazem wjazdu i ruszyłem biegiem, wiedząc, że to na nic, bo pojadą pod prąd i dopadną mnie, jeśli zechcą. Znów skręciłem w lewo, ulica była ciemniejsza i biegłem jeszcze jedną przecznicę tuż przed motorem, o włos z przodu. Zmęczyłem się i zwolniłem krok, a oni jechali za mną skokami, przyspieszając i hamując, ogłuszali rykiem motoru, próbując wykończyć mnie nerwowo. Nagle zatrzymałem się i skuliłem ramiona, czekając, aż skoczą mi na kark i skończą wszystko raz na zawsze. Wyminęli mnie, trochę z przodu zatrzymali motocykl na ulicy, zsiedli, kierowca pochylił się, żeby obejrzeć silnik, a ten, który jechał na tylnym siodełku spojrzał w moim kierunku. Podszedł z papierosem w ustach i dał mi znak palcami, że prosi o ogień. Pomacałem kieszeń, w której zazwyczaj noszę papierosy, była pusta, lecz on zbliżał się nadal, praktycznie zatrzymał się na mnie. Był dobrą piędź wyższy ode mnie, moje oczy znajdowały się na wysokości jego piersi, przez chwilę pomyślałem, że mógłbym odcyfrować wypisane tam hieroglify. Potem spojrzałem w jego oczy, wlepione we mnie, oczy kobiety, całkiem czarne, znałem te oczy, to był Joaquinek.

Tak, to był mój syn i mało brakowało, a wypowiedział-bym jego imię; gdybym się uśmiechnął i wyciągnął do niego ramiona, uścisnął po ojcowsku, pewnie by mnie nie zrozumiał. A może od początku wiedział, że jestem jego ojcem, i dlatego patrzył na mnie w ten sposób, dlatego przypierał mnie tu na ulicy do muru. Zacisnął pięść, szykował się do ciosu, myślę, że trafiłby mnie w wątrobę, kiedy nagle jakieś głosy zabrzmiały obok mnie. Ze ściany zaczęli wychodzić ludzie, kolejne osoby pojawiały się w czarnej dziurze, która okazała się tylnym wyjściem z kina. Wmieszałem się w publiczność, ruszyłem z całą grupą ku alei, minąłem główne wejście do kina, bary, aptekę, kiosk z gazetami, popędziłem między samochodami i wszedłem do hotelu.

Może dzięki temu, że rzuciłem palenie, mogłem cho-dzić z Leblonu aż na Copacabanę, tam i z powrotem, tam i z powrotem, od wschodu słońca aż do wczesnego popołudnia. Do hotelu wracałem głodny, wchodziłem do pokoju, zamawiałem kanapki, które docierały nie od razu, a kelnerzy nie przyjmowali ode mnie napiwku w forintach. Kierownik też patrzył na mnie podejrzliwie, bo po tygodniu nie zapłaciłem jeszcze za swój pobyt. Byłem w banku i okazało się, że mój rachunek już nie istnieje i nikt nie słyszał o firmie Cunha & Costa, Agen-cja Kulturalna. Dowiedziałem się, że Álvaro zamieszkał w Brasilii, gdzie pracował w gabinecie pewnego deputo-wanego, swojego krewnego. Zdobyłem telefon do biura, urzędniczka przyjęła ode mnie wiadomość, Álvaro jednak nie oddzwonił. Na pewno myślał, że stoję tuż za rogiem, a ja chciałem tylko szybko wyrównać rachunki, na pewno był mi winien jakieś pieniądze. Zadzwoniłem kilka dni później z hotelowej recepcji i przed nosem kierownika hotelu bezlitośnie przeczołgałem urzędniczkę. Z ostrym akcentem, jaki przywiozłem z Węgier, mówiłem, że mam przyjaciół w mediach, groziłem wielkim skandalem, że poplecznik deputowanego federalnego wisi mi prawie milion dolarów i naraża mnie na kłopoty w hotelu Plaza. I choć Álvaro mimo to nie odebrał telefonu, u kierownika zdobyłem pewien kredyt. Zyskałem też czas, żeby wymyślić jakieś wyjście; na przykład federalny deputowany mógł być zainteresowany ewentualną autobiografią. Leżąc w łóżku, bazgrałem na papierze listowym z nagłówkiem hotelu, a to, co mi wychodziło, nie było nawet słowami, ale prostymi formami graficznymi, dziecięcymi rysunkami. I zacząłem się zastanawiać, jaki byłby mój los, gdybym w dzieciństwie zamiast poznawać pierwsze litery, był wychowywany wyłącznie na książkach o sztuce. Wyobrażałem sobie anonimowych, niepiśmiennych malarzy, którzy w tajemnicy malowali płótna dla wielkich mistrzów. Zapewne byli otoczeni miłością, mieli ciche kochanki, jadali same przysmaki i nade wszystko kochali podziwiać swoje arcydzieła, podpisane wielkimi nazwiskami, wystawiane w muzeach całego świata. Jedni drugim okazywali wzajemną wdzięczność, rozmawiali każdego dnia, nawzajem troszczyli się o zdrowie; tak długowieczni byli owi mistrzowie, jak płodne było natchnienie ich rzemieślników. Całymi nocami rozmyślałem nad tymi sprawami i rysowałem stworzonka, czekając na wczesne ranki, odpowiednią porę na spacery. I pewnego dnia, na Copacabanie, na wprost budynku, w którym było biuro, nagle przeszedłem przez aleję, pozdrowiłem portiera i wsiadłem do windy. W salach Agencji Kulturalnej Cunha & Costa teraz działała przychodnia dentystyczna, a recepcjonistka zapytała, czy mam wyznaczoną wizytę. Dostrzegłem drzwi w głębi poczekalni, wtargnąłem do mojego byłego pokoju, a tam na siedzeniu z bakelitową pokrywą siedział pochylony protetyk, który na mój widok o mało nie spadł z krzesła; myślał, że to napad, i oferował mi gipsowe szczęki ze złotymi zębami. Kiedy jednak zrozumiał, że przyszedłem w pokojowych zamiarach, po to tylko, żeby sprawdzić, co się stało z moim biurkiem, wpadł w furię, wybiegł na korytarz i wezwał ochronę. Wyszedłem z budynku rozgoryczony, że nie odzyskam już książek, które trzymałem zamknięte w szufladzie. Bo wymyśliłem, że gdybym je zaczął ręcznie kopiować, jedna po drugiej, odzyskałbym zdolność pisania nowych powieści na zamówienie. Otworzyłbym własne biuro, zostałbym milionerem, kto wie, może bym sobie kupił całe piętro w hotelu Plaza. Pomyślałem, żeby zadzwonić do Brasilii, ale dlaczego Álvaro miałby przechowywać gdzieś moje graty, co najwyżej może mieć jakiś egzemplarz *Kobietopisarza*,

a akurat na *Kobietopisarza* nie miałem ochoty nawet spojrzeć. I tak idąc przez część handlową Copacabany, zauważyłem księgarnię z wystawą zastawioną książkami w musz-
tardowych okładkach. Podszedłem bliżej, szyba musiała
zniekształcać kolory, bo okładki książek wpadały w ochrę
i miały zielone litery. Już niemal wyraźnie widziałem tytuł
Kobietopisarz, wypisany gotyckimi fioletowymi literami na
cynamonowych okładkach. Kiedy doszedłem do księgarni,
okazało się, że książka jest granatowa i ma tytuł: *Zatonięcie*. Wszedłem, przejrzałem najróżniejsze tomy rozłożone
na stołach, przez czystą ciekawość przejrzałem półki, podszedłem do księgarza: proszę *Kobietopisarza*. Słucham
pana? Proszę egzemplarz *Kobietopisarza*. Może się pan
pomylił, tutaj mamy *Zatonięcie*, przeszło sto tysięcy sprze-
danych egzemplarzy. Upierałem się, proszę *Kobietopisarza*.
Spytał, czy jest to jakaś książka techniczna, nigdy nie słyszał
podobnego tytułu. Kłamał, pamiętałem jego twarz, zrobił
majątek na mojej książce. Zgodził się sprawdzić w komputerze, spytał o pisownię tytułu, powiedział *Kobierce ture-
ckie... Kobieta, podręcznik higieny... Kobiety w polityce,
Krym, przewodnik*, nie, nie ma *Kobietopisarza*. Może zna
pan nazwisko autora? Kaspar Krabbe? Ka, er, a, dwa razy
be, e? Krabbe... Krabbe... Nie, nie ma też żadnego Kaspara
Krabbe. Nie wie pan, jakie to było wydawnictwo?
    Kiedy wszedłem do pokoju, zobaczyłem kopertę wsu-
niętą pod drzwi. Był w niej bilet od zarządu sieci hoteli
Plaza, przypominający mi, że spędziłem już sto dni w hote-

lu, do niego dołączony był rachunek, na który nawet nie spojrzałem. Już chciałem zacząć wierzyć, że zapomnieli o mnie, bo też moje zamówienia przestały być realizowane. Kierownik już nie przychodził, zakładałem więc, że moje nazwisko, razem z numerem pokoju, siedemset siedem, zostało wymazane z pamięci hotelowego komputera. Posłańcy odwracali się do mnie plecami, portierzy nie otwierali przede mną drzwi, w recepcji dokładnie nie wiedziano, kim właściwie jestem ani z jakiego pokoju wychodzę i do jakiego codziennie wracam. Od tego dnia jednak postanowiłem zawiesić swoje wyjścia. Spacery tylko po pokoju; i tak nic innego nie miałem do roboty przez cały dzień. Zabazgrałem już wszystkie kartki, nie miałem ochoty więcej rysować. Raz tylko, w roztargnieniu, włączyłem telewizor, ale wyłączyłem go, kiedy usłyszałem nerwową melodyjkę zapowiadającą wiadomości. Nie używałem telefonu, nie zapalałem więcej lampy, pokój siedemset siedem żył w ciemności. Nie dawałem żadnej roboty sprzątaczkom, nie miałem ubrań do prania, chodziłem nago, na klamce zawsze wisiała wywieszka: do not disturb. Posiłki jadałem nieregularnie, czasem było to kurze udko, warzywa, czasem ryż, czasem kawałek chleba z resztkami strogonowa. Zależało to od tac pozostawionych przez sąsiadów na korytarzu, czasem nawet mogłem się uraczyć francuskim serem czy pół kieliszkiem wina ze śladem szminki na brzegu. Pewnego wieczoru, kiedy spokojnie nic nie robiłem, popijając dość rozwodnioną whisky, zaczął dzwonić telefon. Zadzwonił jakieś dziesięć razy, przestał, znów zaczął dzwonić, pomyślałem nawet, że może to Álvaro, po to jednak żeby zwrócić dług, nikt nie dzwoni w ten sposób. Musiała to być administracja sieci hoteli Plaza, bo zaczynał się szczyt sezonu, wszystkie pokoje zajęte, pan wybaczy, właśnie przyjechało pewne małżeństwo z Argentyny, będzie nam potrzebny pokój siedemset siedem, ja jednak nie odbierałem telefonu, udawałem martwego. Wieczór mijał, a ja w końcu przyzwyczaiłem się do dzwonka, jego przerw, wiedziałem, który dzwonek będzie ostatni z serii, liczyłem do siedmiu i odgadywałem moment, kiedy zacznie znów dzwonić. Dźwięk, który jeszcze przed chwilą mnie irytował, teraz uspokajał, przy jego falowaniu zasnąłem, tak jak zasypia ktoś mieszkający tuż obok torów kolejowych. I tak samo, jak człowiek ten zrywa się w środku nocy, kiedy pociąg nie nadjeżdża, wyskoczyłem z łóżka, kiedy telefon zamilkł. Bez jego dzwonienia poczułem się bezbronny, zaraz ktoś zacznie walić do drzwi, policja federalna wyważy je i wejdzie do pokoju. Wyciągnąłem z podręcznej walizki garnitur, szybko się ubrałem; postanowiłem uprzedzić przeciwnika i wyszedłem mu na spotkanie. W ciemnym garniturze z krawatem czułem się zdolny do wszelkich negocjacji z każdym, jak równy z równym. Mógłbym zażądać od kierownika, by dał mi czas na znalezienie innego hotelu, przynajmniej domagałbym się prawa do całej spokojnej nocy, może bym poprosił, żeby do mnie dzwoniono bez przerwy do samego rana. Na dole jednak był tylko nieznany mi nocny portier, który mnie pozdrowił. Wyszedłem na ulicę, odetchnąłem świeżym powietrzem, poszedłem spojrzeć na morze i zacząłem żałować, że nie odkryłem wcześniej przyjemności spacerowania o tej porze, kiedy nikt nie chodzi pieszo w obawie przed napadem. Teraz cały nadmorski pasaż był mój, jakoś nie widać było napastników, mógłbym biegać po nim przytupując, gdyby mi odbiło. Doszedłem do przylądka Arpoador, wróciłem do belwederu na Leblonie, zacząłem włóczyć się ulicami i naraz zobaczyłem, że dotarłem pod mój dawny adres. Zrobiłem w tył zwrot, chciałem wrócić do hotelu, ale musiałem się zgubić, bo zacząłem chodzić w kółko i znów znalazłem się przed budynkiem, w którym mieszkałem z Vandą. Przechodząc tamtędy trzeci raz, zauważyłem znajomą twarz i schowałem się za murkiem. Był to strażnik, który palił papierosa na zewnątrz dyżurki i spoglądał w górę. W mieszkaniach było ciemno, ale w jednym z okien na siódmym piętrze błysnął maleńki płomień; ktoś palił papierosa w pokoju Vandy. Zaciągał się głęboko trzy, cztery razy i wyrzucał niedopałek przez okno, a strażnik zapalał od niego kolejnego papierosa. Już słońce wschodziło za budynkiem, strażnik patrzył w niebo, kolejny żar błyskał w ciemnym pokoju, kiedy usłyszałem chrzęst opon, oświetliły mnie dwa reflektory, bo stałem we wjeździe do garażu. Przywarłem do murku, wjeżdżał samochód, zahamował przy mnie, znalazłem się tuż obok okienka kierowcy, wydawało mi się, że ktoś na mnie patrzy z wnętrza samochodu. Ja jednak przez ciemne szyby niczego nie widziałem, tylko własne odbicie w tym lustrze, z podkrążonymi oczami, nieogoloną brodą, w wymiętym ubraniu. Klakson samochodu wybuchnął, drzwi do garażu otwarły się ze zgrzytem. Auto wjechało do środka, strażnik schował się w dyżurce, a żaluzje u Vandy opuszczono.

Był już jasny dzień, kiedy pędem minąłem hotelową recepcję i właśnie dotarłem do drzwi, gdy zadzwonił telefon. Coś mi mówiło, że tym razem powinienem go odebrać, to będzie dobra wiadomość, na pewno to będzie dobra wiadomość. Nastąpi jakiś nagły zwrot mojego losu, wiedziałem, miałem takie przeczucie, a tymczasem drzwi nie dawały się otworzyć. Przesuwałem magnetyczną kartę w zamku i nic, zapalało się czerwone światełko, telefon ciągle dzwonił, to będzie nagły zwrot mojego losu. Telefon przestał dzwonić, policzyłem do siedmiu, ale dopiero przy trzynastu znów się odezwał, musiałem za szybko liczyć. Kolejny raz przesunąłem kartę, i jeszcze raz, naparłem na klamkę i dopiero wtedy zauważyłem, że wkładałem kartę do góry nogami. Zielone światełko, nagły zwrot, wpadłem do pokoju, telefon przestał dzwonić, policzyłem do dwudziestu, halo! Czy to pan Zsoze Kósta? Természetesen! potwierdziłem. Bogu dzięki, powiedział człowiek i przedstawił się jako węgierski konsul. Obdzwonił już wszystkich „Costa José" z książki telefonicznej i od wczoraj przeczesywał hotele w mieście. Na litość boską, powiedziałem, niech mnie pan nie pozbawia przyjemności słuchania waszego ukochanego języka, i zauważyłem, że moja węgierska intonacja pozostała bez zmian. Upierając się jednak przy używaniu swojego straszliwego portugalskiego, konsul zapytał, czy przypadkiem słyszałem może o firmie Lantos, Loránt & Budai. Tak, oczywiście, Lantos, Loránt & Budai to znakomici węgierscy księgarze, wydawcy najważniejszych pisarzy całego kraju, między innymi zasłużonego poety Kocsisa Ferenca. Konsul powiedział zatem, że ma w rękach bilet lotniczy na trasie Rio–Budapeszt, wystawiony na moje nazwisko przez firmę Lantos, Loránt & Budai. Rio–Budapeszt? Na moje nazwisko? Nie kpi pan sobie ze mnie? Poza tym mogę odebrać w konsulacie wizę wjazdową z prawem do pobytu. Bilet lotniczy do Budapesztu, wiza pobytowa, wszystko stało się jasne: pod naciskiem wydawców, by powtórzyć ogromny sukces *Tajemnych tercyn*, Kocsis Ferenc wyznał im swoją niemoc twórczą. Sam jednak żądny nowej chwały i zaszczytów, zasugerował w zaciszu czterech ścian wydawnictwa, żeby ściągnąć z Brazylii oddanego poetę Zsoze Kóstę. Lot przez Mediolan, powiedział konsul, mogę wyjechać tego samego wieczoru. Odpowiedziałem mu, że zobaczę, mam jeszcze kilka spraw do załatwienia w Rio, zapytałem, czy to bilet pierwszej klasy, ale moja głowa już się zrywała do lotu, moje myśli układały się w wiersze.

Ta książka została napisana

Mieniąca się okładka, nie wiedziałem, jakiego właściwie koloru, tytuł *Budapeszt*, nie rozumiałem, co tam robi wydrukowane nazwisko Zsoze Kósta, nie przeze mnie ta książka została napisana. Co się dzieje, co robią ci wszyscy ludzie wokół mnie, nie miałem z tym nic wspólnego. Chciałem oddać książkę, ale nie wiedziałem komu, dostałem ją od firmy Lantos, Loránt & Budai i oślepłem. Reflektory mnie oślepiły, to była Duna Televízió, nie rozumiałem, co tam robi Duna Televízió, chciałem stamtąd wyjść, zamknęły się za mną drzwi po odprawie celnej. Patrzyłem na napisy na lotnisku, przez szybę jacyś ludzie patrzyli na mnie i machali do mnie książkami w mieniącej się okładce. I zobaczyłem roześmianą twarz Pistiego, Pisti nigdy się nie śmiał, a obok, z maleńką kamerą, kobietę, która przypominała Kriskę, ale nią nie była, była, nie była, była, ale inna. Trochę z boku uśmiechał się do mnie Pan X, nigdy wcześniej nie widziałem jego ciemnych dziąseł. Spojrzałem na Pistiego i na Pana X, wątłe ciała, wielkie głowy, czarne włosy, nie rozumiałem, dlaczego byli do siebie tak bardzo podobni. Szukałem wzroku Kriski, ale jej lewe oko było zamknięte, a prawe schowane za kamerą, i nie potrafiłem zrozumieć, jak mogła kiedyś sypiać z tym facetem. Kiedy później zapewniała mnie, że jest on człowiekiem wielkiego serca, słuchałem w milczeniu, nie mogłem powiedzieć Krisce, że jej były mąż to kanalia. Ale wtedy jeszcze niczego nie rozumiałem, podróż długo trwała, napiłem się wina, wziąłem barbiturany. Byłem oszołomiony, miałem kłopoty z równowagą i czerwone oczy, przechylałem się to w jedną stronę, to w drugą. W końcu wyprostowałem się, miałem rozszerzone źrenice, wpatrzyłem się w jeden punkt przed sobą, na wpół zasłonięta twarz Kriski wydała mi się okrągła, stwierdziłem, że bardzo utyła. A kiedy zrozumiałem, że jest w ciąży, zacząłem się trząść, usta wykrzywił mi grymas, stałem jak sparaliżowany. Z lekkim zezem i krzywymi ustami zostałem w kadrze znieruchomiały, bo Kriska nacisnęła na wideo pauzę, żeby ukołysać dziecko, które nagle wybuchnęło płaczem. Kiedy nie karmiła go piersią, lubiła puszczać swoje filmy, drżący obraz, ruchliwy zoom; nakręciła scenę ze mną na lotnisku, nakręciła dziecko w szpitalu, miałem filmować poród, ale poczułem zawroty głowy i wyszedłem z sali porodowej. A kiedy Kriska nie przeglądała taśm wideo ani nie dawała dziecku piersi, czytała książkę. Czytała ją bez przerwy, teraz kiedy była na urlopie macierzyńskim, przeczytała ją na głos ze trzydzieści razy. To naprawdę niesamowite, mówiła i patrzyła na mnie zadziwiona, robiła różne uwagi, te bułeczki z dyni, skąd tyś to wziął? Chór brzuchomówców, niesamowite, i to Rio de Janeiro, to miasto, plaże, ludzie chodzący donikąd, i ta kobieta, Vanda, skąd tyś wziął to wszystko? Naprawdę niesamowite, naprawdę niesamowite, a ja czułem, jak krew uderza mi do głowy. Mówiła mi jeszcze, że jej były mąż ma złote serce, przez Pistiego dowiadywał się o jej stan, kazał Pistiemu zapewnić matkę, że nie będzie szczędził energii i środków i sprowadzi jej mężczyznę z powrotem do Budapesztu. Naiwna Kriska wzruszała się do łez, rzadko byli mężowie bywają tak wspaniałomyślni, i poprosiła Pistiego, by przekazał swojemu ojcu wyrazy jej prawdziwego uznania. A tymczasem sukinsyn pisał książkę. Fałszował moje słownictwo, moje myśli i fantazje, drań wymyślał moją powieść autobiograficzną. I tak jak mój charakter pisma wypracowany w jego rękopisie, historia przez niego wymyślona tak była podobna do mojej, że czasami wydawała mi się bardziej autentyczna niż to, co sam bym napisał. Było tak, jakby dodał kolory do filmu, który ja pamiętałem jako czarno-biały, och, Kósta, ta zabawa noworoczna, ta egipska piosenka, i ten Niemiec bez włosów, nie mogłem dłużej tego słuchać. I pewnej nocy, w łóżku, skoczyłem na Kriskę, odrzuciłem daleko książkę, chwyciłem ją za włosy i zatrzymałem się, dysząc. Nie ja jestem autorem mojej książki, chciałem jej powiedzieć, ale nie wydobyłem głosu z gardła, a kiedy mi się to wreszcie udało, powiedziałem: mam tylko ciebie. A Kriska szepnęła: nie dzisiaj; dziecko spało tuż obok, w kołysce przy łóżku, bo musiało ssać pierś co pół godziny. Nie jestem autorem mojej książki, usprawiedliwiałem się w Klubie Literatury Pięknej, ale wszyscy wokół wiwatowali na moją cześć i udawali, że nie rozumieją, co mówię, być może dlatego, że – jak się to mówi – opowiadałem o sznurze w domu powieszonego. I zasłużony poeta Kocsis Ferenc z okazji uroczystej promocji *Budapesztu* nalegał, by mnie publicznie uściskać w księgarni Lantos, Loránt & Budai. W dobrym nastroju wyraził żal, że jego *Tajemne tercyny* nie wyszły spod pełnego fantazji pióra Zsoze Kósty, czym wzbudził wesołość zebranego tłumu. Nie jestem autorem mojej książki, dodałem, powodując salwy śmiechu wśród tłumu. To nie był żart, ale właśnie jako żart moje słowa zostały opublikowane obok zdjęcia na pierwszej stronie „Magyar Hírlap", a z firmy Lantos, Loránt & Budai zadzwoniono do mnie z informacją, że cały nakład pierwszego wydania już zniknął z księgarń. Przechodnie zatrzymywali mnie na ulicy, prosili o autograf w swoich egzemplarzach, a ja omdlewającą ze zmęczenia ręką wypisywałem kolejne zupełnie mi obce dedykacje. Nieznane artykuły podpisane moim nazwiskiem pojawiały się w prasie niemal codziennie. Zostałem przyjęty w Parlamencie, zaproszono mnie na kolację do Pałacu Arcybiskupiego, uniwersytet w Pécsu nadał mi tytuł doktora, a ja podziękowałem przemówieniem, które nie wiem, w jaki sposób pojawiło się w mojej kieszeni. Moje kroki stały się powolne, chodziłem tam, gdzie mnie prowadzono, nie wiedziałem, co mnie dalej czeka, było tak, jakby moja książka nadal się pisała. Podczas spotkań jeszcze starałem się improwizować wypowiedzi, miałem od czasu do czasu przebłyski dowcipu, ale czytelnicy znali każde moje słowo. Wymyślałem słowa dziwaczne, zdania z szykiem od końca do początku, czasem nawet rzucałem kurwa mać, ale zanim dobrze otworzyłem usta, zawsze wyprzedzał mnie jakiś ekshibicjonista spośród publiczności. To było nieznośne, bardzo smutne, mógłbym spuścić spodnie w środku miasta i nikt by się nie zdziwił. Na szczęście pozostawały mi jeszcze sny, a w snach zawsze stałem na moście nad Dunajem, w martwych godzinach, wpatrując się w jego ołowiane wody. I odrywałem stopy od ziemi, i huśtałem się oparty brzuchem na poręczy, najszczęśliwszy w świecie, bo mogłem w każdej chwili nadać mojej historii zakończenie, jakiego nikt nie przewidział. Przedłużałem tę chwilę radości z własnej wszechmocy i w tym czasie wschodziło słońce, woda stawała się zielona, a potem uświadamiałem sobie, że wszystkie moje ruchy są ograniczone. Policjanci, strażacy, znachorzy, przechodnie chwytali mnie: niech pan nie robi głupstw, Wybitny Pisarzu Zsoze Kósta, na miłość boską, Wybitny Pisarzu Zsoze Kósta. Ksiądz, rabin, Cygan, każdy ciągnął mnie na bok, prawdopodobnie wszyscy marzyli o tym, żeby znaleźć się w książce. Walczyłem, starałem się wyzwolić z tego całego zamieszania i budziłem się zaplątany w prześcieradło, oddychałem z ulgą, że leżę obok Kriski, która przynajmniej była w książce od początku. Pierwszego dnia wiosny, patrząc na sposób, w jaki szła Kriska, zrozumiałem, że kończy się jej okres ochronny. Od południa śpiewała piosenki z innych wiosen, wieczorem położyła dziecko w pokoju Pistiego, wzięła kąpiel i w jedwabnej koszuli położyła się ze mną. I poprosiła, żebym poczytał jej książkę. Co takiego? Książkę. Nie zamierzałem czytać książki, która nie jest moja, nie zniosę podobnego upokorzenia. A ona nie upierała się nawet zbyt natarczywie, wiedząc, że wcześniej czy później spełnię jej życzenie. Położyła mi ją na piersi i sama pozostała nieruchoma w łóżku. Wziąłem książkę do ręki, jej kartki wymykały mi się z rąk, nie rozumiałem, dlaczego mam czytać paplaninę, którą ona sama czytała już przeszło trzystukrotnie. Jednak w dziele literackim są z pewnością niuanse, powiedziała Kriska, które można dostrzec dopiero w głosie autora. Niechcący dawała mi pretekst, żebym stanowczo oświadczył, że nie jestem autorem książki, która ma moje nazwisko na okładce. Zagroziłem, że wydrę moje nazwisko z tej okładki, już poplamionej i wytłuszczonej, widząc jednak łagodny uśmiech Kriski, spuszczone oczy, niemal przezroczystą skórę, nie mogłem sprawiać jej przykrości. Z pewnością wolała wyobrażać sobie, że to moją książkę ciągle nosi przy piersi. Pochlebiało jej, że autor bezustannie nagradzany, uważany przez szacownego Buzanszkyego Zoltána za ostatniego purystę węgierskiej literatury, to ten sam dzikus, którego ona wtajemniczała w język. Włożyłem więc okulary, otwarłem książkę i zacząłem: Powinno się zakazać kpienia z ludzi, którzy porywają się... Powoli, Kósta, wolniej, pierwsze strony trudno mi było pokonać. Potykałem się na interpunkcji, traciłem oddech w połowie zdań, było tak, jakbym czytał utwór przez siebie napisany, ale z przestawionymi słowami. Jakbym czytał o życiu równoległym do mojego i mówiąc w pierwszej osobie, jako postać równoległa do mnie, zaczynałem się jąkać. Potem jednak nauczyłem się zachowywać dystans do tego ja z książki i moja lektura posuwała się płynnie. Dzięki temu, że opis był dokładny i styl przejrzysty, coraz pewniej opowiadałem krok po kroku zawiłe losy tamtego ja. I bez względu na to jak bardzo by cierpiało tamto stworzenie, Kriska nie okazywała mu zbytniego współczucia. Jeśli z kimś w tej książce naprawdę współodczuwała, to razem z nieludzkim autorem, który ją zachwycał. I sam na sam z nią, w półmroku zadymionego pokoju, zacząłem się przekonywać, że jestem prawdziwym autorem tej książki. Używałem całych fraz, melodii mojego węgierskiego, zachwycałem się swoim własnym głosem. Szybko, Kósta, szybciej, mówiła Kriska, kiedy zatrzymywałem się ponad miarę na epizodach w Rio de Janeiro. Kiedy jednak ona stawała się postacią w tej opowieści, prosiła, żebym jeszcze raz przeczytał tę stronę, jeszcze tylko raz, Kósta, od początku. I śmiała się, śmiała się tak, jakbym pisał piórem na jej skórze, ten obrotowy parkiet na dancingu, naprawdę niesamowite. Blisko zakończenia wiedziałem, że tak się ułoży na łóżku, żeby oprzeć głowę na moim ramieniu. Położyła się w poprzek łóżka i oparła głowę na moim ramieniu, wiedząc, że podczas lektury jest mi przyjemnie, kiedy widzę jej biodra zaznaczone pod koszulą. Wtedy przesunęła delikatnie jedną nogę na drugiej, ukazując wyraźny zarys kształtu ud pod jedwabiem. I w tej samej chwili się speszyła, bo teraz czytałem książkę w tym samym czasie, kiedy opowieść się działa. Krisko, kochanie, spytałem, wiesz, że tylko dzięki tobie przez całe noce wymyślałem książkę, która właśnie się kończy? Nie wiem, co pomyślała, bo miała zamknięte oczy, ale skinęła głową. I ukochana kobieta, której mleko już piłem, napoiła mnie wodą, w której wyprała swą bluzkę.

Spis treści

Tytuł oryginału: *Budapeste*
Projekt okładki: *Jan Wawrynkiewicz*
Redakcja: *Małgorzata Burakiewicz*
Redakcja techniczna: *Zbigniew Katafiasz*
Korekta: *Maja Lipowska*

ISBN 83-7319-643-9

Książkę wydrukowano na papierze
Amber Graphic 70 g/m^2

www.arcticpaper.com

Warszawskie Wydawnictwo Literackie
MUZA SA
ul. Marszałkowska 8, 00-590 Warszawa
tel. (0-22) 827 77 21, 629 65 24
e-mail: info@muza.com.pl

Dział zamówień: (0-22) 628 63 60, 629 32 01
Księgarnia internetowa: www.muza.com.pl

Warszawa 2005
Wydanie I

Skład i łamanie: MAGRAF s.c., Bydgoszcz
Druk i oprawa: P.U.P. ARSPOL, Bydgoszcz